C'EST MOI ! MA PERSONNALITÉ... MON STYLE

COMMUNIPLEX

GESTION DE PROJET
H. B. et cie inc.

DIRECTION DE PROJET
Yvan Bélisle

RÉDACTION ET SUPERVISION DES TEXTES
Dominique Chauveau

CONCEPTION ET RÉALISATION INFOGRAPHIQUE
Martine Lamarche

CONCEPTION INFOGRAPHIQUE DES CHAPITRES 8 ET 10
Bazinet/Dubois Design•Communication inc.

ILLUSTRATIONS
Marie Carrière
Serge Cassan
Josée Collette

PHOTOGRAPHIES
Pierre Arsenault
Michel Bodson
Pierre McCann

PELLICULAGE ET QUADRICHROMIE
Groupe 5 Litho inc.

OUVRAGE ENTIÈREMENT RÉALISÉ PAR PROCÉDÉ INFORMATIQUE

© **Communiplex Marketing inc.**
715, Marie Le Ber
Île des Sœurs (Québec) H3E 1S8
Téléphone : (514) 769-3533
Télécopieur : (514) 768-3665

Dépôt légal, deuxième trimestre 1992
Bibliothèque nationale du Québec
Bibliothèque nationale du Canada

ISBN : 2-9801481-3-x

C'EST MOI ! MA PERSONNALITÉ... MON STYLE

par

Colette Hamel

et

Ginette Salvas

COMMUNIPLEX

REMERCIEMENTS

Les auteures et l'éditeur tiennent à remercier tout particulièrement, pour leur aimable collaboration :

Les boutiques :

Agatha-Paris, rue Laurier; Amandine, rue Saint-Denis; Browns, Place Ville-Marie; Consult-Image; Henriette L., rue Laurier; Kyose, ruelle des Fortifications, Centre de commerce mondial; L'Aventure pour femmes, rue Laurier; Orphée, rue Laurier; Rita R. Giroux, marchande de fleurs, rue Saint-Paul; les soies Marshall, rue Sainte-Catherine.

Les maisons de haute couture, les grandes maisons et leurs attachés de presse :

La Chambre Syndicale du Prêt-à-porter des couturiers et des créateurs de mode et Pierre Bergé, Denise Dubois; la Fédération Française du Prêt-à-porter féminin et Isabelle Bodin, Evelyne Clauss; Anne Marie Beretta et Joelle Thomas; Pierre Balmain et Laure Chaffanjon, Christine Jouvat; Balmain parfums et Gabrielle Bock; Balenciaga et Anne de Bourbon Siciles; Chanel et Marie-Louise de Clermont-Tonnerre, Véronique Perez, Sonia Marie Kelemen; Chloe et Patricia Lazar; Christian Dior et Jeanne Cattani; Christian Lacroix et Laure du Pavillon, Laurent Suchel; Montana parfums et Vera Strubi, Béatrice Paul, Jacqueline Montana; Courrèges et Sylvie Elles, Sophie Grapin, Martine Vignau de Robert; Emanuel Ungaro; Georges Rech et Annie Demilliers; Synonyme de Georges Rech; Unanyme de Georges Rech; Givenchy et Hubert Roland Vicente, Véronique de Moussac; Hanae Mori et Max Michel Grand; Jean-Charles de Castelbajac; Jean-Louis Scherrer et Alexandra Campocasso; Kenzo et Eliane Capelli, Marianne Hawkins; Lanvin et Dominique le Romain, Patricia Monin; Louis Féraud et Guy Rambaldi, Ghislaine Brege; Nina Ricci et Sybille de Laforcade, Sophie Le Norcy, Masha Magaloff; Paco Rabanne et Frédérique Fetiveau; Pierre Cardin et Pierre Crey, Bernard Danillon; Sonia Rykiel et Véronique Fonbert; Yves Saint-Laurent et Clara Saint, Gabrielle Buchaert; Mondi et Christiane Foucher; Patrizia S. by Mondi et Edith Lemieux; Laura Ashley et Jane Cartwright; Irving Samuel Canada inc. et Claire Latreille; Jean-Claude Poitras Design et Jean Claude Poitras, Genest Carpentier, Christiane Audet; Simon Chang; Michel Desjardins; Marie Saint Pierre; Marcelle Danan; S. M. D. Importations; Les perles noires de Polynésie et Guy Dastous; Les perles Melisa et Cécile Quirion; K'ien et Naila Jaffer; Maison l'ami du Collectionneur et Denis Duguay, Serge Groleau; Wella Canada et Raynald Guévin; Matis; la Maison du lin; Collège La Salle et Diane Pelletier, Isabelle Rougier, Nicole Cloutier; Cosmelle et Lise Gosselin; John Van G Cosmetics; Jimp-R Importations et Armand Ohayon, Gisèle Ohayon-Sheaf; Avanti; Jackie Amiel; O. J. Perrin et Nathalie De Seynes-Pintaud; Routy-Paris; Scania et Louise Doucet-Rhéault; Jean-Philippe Ricquier Distributions; Cosmair et Lise Beauchemin.

Anne Richer pour sa collaboration spéciale

Nos collaborateurs :

Madeleine Beck, Marc Daigneault, Denis Duguay, Marie-Claude Favreau, Camilla Guay, Nicole Hornby, Loretta pour l'agence Giovanni et Sylvie Petrera.

Nos mannequins :

Dominique Bertrand pour l'Agence Ginette Achim.
Margaret, Lee Korte et Kim Valiquette pour l'Agence Giovanni.
Fabienne et Kathlyn pour l'Agence Specs,
Brigitte L. et Nadine P. pour l'Agence Folio,
Mathilde Blais, Claudine Dufour,
Chantale Gagnon et Hélène Giroux

Page couverture

Photographie
Pierre Arsenault

Vêtements
Jean Claude Poitras Design

Bijoux et accessoires
Kyoze

Mannequins
Fabienne et Kathlyn pour l'Agence Specs,
Brigitte L. et Nadine P. pour l'Agence Folio

Conception et réalisation infographique
Bazinet/Dubois Design•Communication inc.

Bijoux de corps – Accessoires d'esprit

MOT DES AUTEURES

C'est avec une immense joie que nous vous présentons ce livre, conçu spécialement pour la femme moderne d'aujourd'hui.

« *C'est moi ! Ma personnalité... mon style* » est l'aboutissement de plusieurs années de recherche et d'expérience dans le domaine des arts, de la beauté, de la mode et de la technologie nous ayant conduit vers un même objectif : aider la femme à mieux se connaître et à mettre en valeur sa personnalité.

Ce projet n'aurait pu se concrétiser sans l'aide précieuse de certaines personnes. Nous tenons donc à remercier bien spécialement monsieur Richard Hamel, notre éditeur, et son équipe des plus compétentes.

Toute notre gratitude à nos enfants, parents, amis, clients et élèves qui nous ont appuyées et encouragées tout au long de notre démarche. Merci également aux fournisseurs, aux designers, aux journalistes et aux maisons de haute couture européennes pour leur aimable collaboration et la somme de renseignements précieux qu'ils nous ont permis d'utiliser.

Nous vous offrons, réunis dans un même volume, tous les outils qui vous permettront de mieux vous connaître et de miser sur votre personnalité pour faire ressortir le meilleur de vous-même. En suivant avec nous la démarche proposée dans cet ouvrage, vous pourrez enfin affirmer avec assurance : « *C'est moi ! Ma personnalité... mon style* ».

INTRODUCTION

C'est moi ! Ma personnalité... mon style. Combien peuvent affirmer cela avec certitude et assurance? N'y a-t-il pas, la plupart du temps, un si ou un peut-être enfoui quelque part?

Eh bien, mesdemoiselles et mesdames, vous avez présentement, entre les mains, l'outil idéal qui vous permettra de remédier à ces petits tracas que l'on a souvent tendance à dramatiser ou à croire insolubles faute de ne savoir que faire.

C'est moi ! Ma personnalité... mon style vous permet enfin de pénétrer dans les mondes toujours quelque peu mystérieux de l'esthétique, de la coiffure, de la mode, et d'avoir accès à une mine d'informations que bien souvent seuls les professionnels dans ces domaines connaissent. Ce livre vous offre aussi une foule de renseignements de nature plus générale sur les différentes sortes de tissus et les tendances-mode telles que véhiculées par les grands couturiers, par exemple.

Mais, plus que tout, *C'est moi ! Ma personnalité... mon style* vous guidera dans une démarche personnelle qui vous permettra de vraiment bien vous connaître et d'effectuer des choix sûrs que vous ne regretterez pas et qui sauront faire ressortir le meilleur de votre personnalité.

L'important, bien entendu, c'est de commencer à la base et d'avancer progressivement, sans brûler les étapes. *C'est moi ! Ma personnalité... mon style* a été conçu dans cet esprit, avec le souci de convenir pleinement à la femme moderne d'aujourd'hui.

Les fiches personnalisées, une fois dûment remplies, resteront à tout jamais un guide des plus précieux dont vous ne pourrez plus vous passer.

Nous vous présentons à la page suivante un bref aperçu du contenu des chapitres et, si vous voulez bien nous accompagner dans cet itinéraire, nous sommes convaincus que vous pourrez finalement affirmer avec conviction : *C'est moi ! Ma personnalité... mon style*.

SOMMAIRE

LA CONNAISSANCE DE SOI

CHRISTIAN LACROIX
Collections 1990-1991

LA CONNAISSANCE DE SOI

Les quatre grands types de femme : la dramatique, la sportive, la classique, la romantique

Une personnalité s'exprime certes par le choix des vêtements, mais aussi par le maquillage, la coupe de cheveux, les objets qui nous entourent, les goûts gastronomiques, culturels... La combinaison de tous ces éléments contribue à la réalisation d'une image de réussite et permet de décoder une personnalité.

Il ne faut pas oublier que les trente premières secondes d'une rencontre sont décisives. Alors, pourquoi ne pas paraître à son avantage dans la vie de tous les jours ? Le secret est simple : il suffit de bien se connaître, de savoir mettre en valeur

ses qualités et atténuer ses petits défauts.

Pour exprimer sa vraie nature, il est essentiel avant tout de prendre le temps de s'interroger, à savoir si l'on est introvertie ou extravertie, si l'on préfère les sorties en groupe ou les soirées en tête à tête, si notre tenue vestimentaire reflète notre personnalité intérieure, nos aspirations et nos capacités, si notre façon d'être vient contrecarrer nos possibilités de communication, d'avancement, etc.

Il est généralement admis que l'être humain se divise en quatre grands types de personnalité : dramatique, sportif, classique, romantique.

D'après la brève description de chacun de ces types de personnalité, vous serez sûrement en mesure de vous identifier à l'un d'eux en particulier, même si vous vous retrouvez un peu dans les autres.

Êtes-vous une dramatique racée, une sportive amicale, une classique élégante ou une romantique audacieuse ?

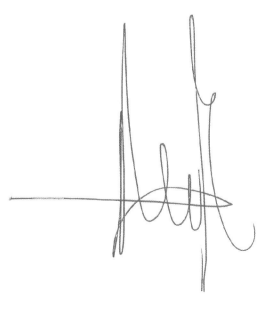

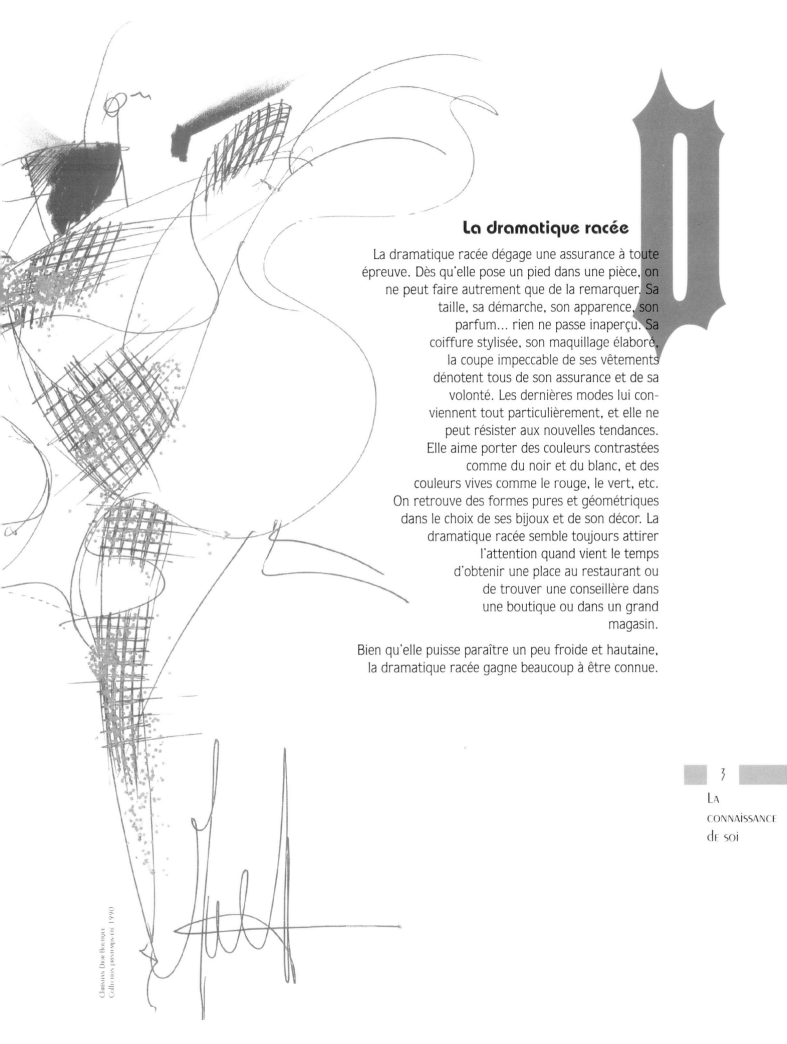

La dramatique racée

La dramatique racée dégage une assurance à toute épreuve. Dès qu'elle pose un pied dans une pièce, on ne peut faire autrement que de la remarquer. Sa taille, sa démarche, son apparence, son parfum... rien ne passe inaperçu. Sa coiffure stylisée, son maquillage élaboré, la coupe impeccable de ses vêtements dénotent tous de son assurance et de sa volonté. Les dernières modes lui conviennent tout particulièrement, et elle ne peut résister aux nouvelles tendances. Elle aime porter des couleurs contrastées comme du noir et du blanc, et des couleurs vives comme le rouge, le vert, etc. On retrouve des formes pures et géométriques dans le choix de ses bijoux et de son décor. La dramatique racée semble toujours attirer l'attention quand vient le temps d'obtenir une place au restaurant ou de trouver une conseillère dans une boutique ou dans un grand magasin.

Bien qu'elle puisse paraître un peu froide et hautaine, la dramatique racée gagne beaucoup à être connue.

Christian Dior Boutique
Collection printemps-été 1990

La sportive amicale

La sportive amicale est une passionnée de la vie au grand air. Cela ne veut pas dire systématiquement qu'elle pratique tous les sports, mais sa stature carrée lui donne l'allure d'une sportive. D'un naturel discret, elle a le regard franc et amical. Les gens se dirigent spontanément vers elle. Elle a une démarche énergique, ce qui explique sa préférence pour des vêtements amples et confortables. Sa coiffure est des plus naturelles et son maquillage, léger. Les couleurs terre, les motifs d'animaux sauvages et de feuillages lui vont à ravir. Elle affectionne tout particulièrement les fibres naturelles, les cuirs, les suèdes, mais elle donne aussi bonne impression en portant un jean délavé et un pull, qu'un vêtement chic décontracté.

La sportive amicale est une communicatrice née et son rire est contagieux.

louis Féraud Hiver 90.

PACO RABANNE

ETE 1991

La romantique audacieuse

La romantique audacieuse n'est que charme et féminité. Son allure tout entière reflète une certaine mélancolie. Cela ne l'empêche pas d'être débordante de vie et de s'émerveiller de tout. Elle prend facilement la vedette lors des réunions entre amis et même dans un milieu où elle rencontre les gens pour la première fois. Ses cheveux sont savamment coiffés et bouclés, son maquillage, élaboré, sa tenue, parfois provocante, son parfum, audacieux et tenace. Elle a un faible pour les fleuris, les dentelles, les volants, les pierres précieuses, les perles, les brillants et les lamés. Elle adore suivre la mode et sait l'adapter à sa personnalité. Son petit côté séducteur se traduit souvent par des accessoires qui peuvent sembler trop nombreux, mais qui savent très bien refléter sa personnalité.

La beauté douce et éthérée de la romantique audacieuse la rend séduisante; on se retourne sur son passage.

La classique élégante

La classique élégante représente, comme son nom l'indique, l'élégance même, mais aussi la distinction. Bref, elle a beaucoup de classe et on ne peut l'ignorer. Son parfum discret confirme son goût pour les grands classiques. Sa coiffure, bien que simple, est toujours impeccable, son maquillage, sobre, ses vêtements, recherchés et de coupe parfaite, ses accessoires de bon goût et choisis avec soin. Elle aime les vêtements de qualité qui ne se démodent pas et sait rajeunir son allure bien simplement en jouant avec quelques effets : chemisier, bijoux, accessoires. La forme de son visage et l'harmonie de ses traits lui permettent beaucoup de latitude dans ses choix, qu'il s'agisse de coupes de cheveux, de lunettes, de bijoux, de maquillage, de chapeaux, etc.

De par sa nature digne et réservée, la classique élégante incite à la courtoisie.

5

LA CONNAISSANCE DE SOI

DÉCOUVREZ VOTRE TYPE DE PERSONNALITÉ-MODE

Voici huit croquis de vêtements qui correspondent à des personnalités différentes.

Certains vous attireront sûrement plus que d'autres. Choisissez-en deux parmi eux.

Tournez ensuite la page et complétez le deuxième test. Vous devriez alors être en mesure de déterminer votre type de personnalité-mode dominant.

B

C

D

G

H

SERGE CASSAN

TEST

Pour appuyer
le premier test,
voici huit photos
de vêtements
correspondant aux
différentes personnalités.

2

Choisissez
les deux photos
dont le style de vêtements
vous attire le plus.

A

B

Laura Ashley
Collection été 1990

Jean-Louis Scherrer Boutique
Prêt-à-porter printemps-été 1992

F

G

8   1
2
3
4
5
6
7
8
9
10

C

D

E

Jean Claude Poitras Design

Laura Ashley
Collection printemps-été 1990

H

Francesco Ferri
Collection printemps-été 1990

Les résultats de ces deux tests appuient le choix de personnalité que vous devez avoir fait en lisant les courtes descriptions des quatre grands types de femmes au début de ce chapitre. Ils vous indiqueront aussi si vous êtes extravertie ou introvertie.

▼ SOLUTION ▼

Une personne plutôt extravertie aura tendance à porter des vêtements plus excentriques qu'une personne introvertie. Elle passera ainsi moins inaperçue. La personne introvertie préférera se mêler subtilement aux autres.

Si vous avez choisi des croquis et des photos illustrant des personnalités différentes, une de ces personnalités prédominera sûrement et votre deuxième choix vous indiquera votre personnalité secondaire.

Test des pages 8 et 9 :

Le A et le F = type ROMANTIQUE
Le B et le H = type DRAMATIQUE
Le C et le F = type SPORTIF
Le D et le G = type CLASSIQUE

Test des pages 6 et 7 :

Le A et le H = type DRAMATIQUE
Le B et le F = type ROMANTIQUE
Le C et le F = type CLASSIQUE
Le D et le E = type SPORTIF

ÊTES-VOUS YIN OU YANG?

La théorie des quatre grands types de personnalité découle en partie du principe du Yin et du Yang. Ce principe se base sur une ancienne philosophie orientale voulant que l'univers soit composé de contraires qui s'équilibrent les uns les autres.

Si vous appartenez au type classique ou romantique, vous êtes probablement Yin. Si vous appartenez au type dramatique ou sportif, vous êtes probablement Yang. Il est possible aussi que vous soyez un mélange de Yin et de Yang.

Peut-être connaissez-vous le symbole du Yin et du Yang ? Il est constitué de deux formes semblables de couleurs contrastées.

Le Yin représente le côté passif, réceptif, sociable, accueillant, le Yang, le côté dominant, actif, créatif, communicateur. Bien qu'opposées, ces deux forces sont d'égale importance.

L'individu naît Yin ou Yang. Chacun est unique en soi et projette une image qui reflète sa personnalité. Le fait de bien se connaître permet de vivre en parfaite harmonie avec son moi intérieur.

Ceux qui se connaissent mal ou qui ne s'acceptent pas tels qu'ils sont essaient souvent d'emprunter les allures des autres. Pourquoi adopter une telle attitude au lieu de prendre le temps de se découvrir et de miser sur les vraies facettes de sa personnalité ?

Voici des exemples de Yin et de Yang

Yin	Yang
Le roseau	Le chêne
La vallée	La montagne
La mer	La terre
La lune	Le soleil
La rose	Le tournesol
Le caniche	Le berger allemand

ON RETROUVE CHEZ LA FEMME YIN UN VISAGE AMICAL ET DOUX AU REGARD FRANC.

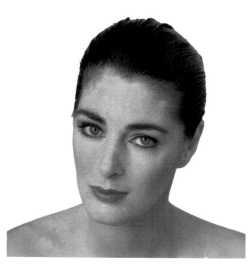

LA FEMME YANG, QUANT À ELLE, AURA UN VISAGE PLUS ANGULEUX AU REGARD INTENSE.

Tableau comparatif du Yin et du Yang

Notez les qualificatifs qui vous décrivent le mieux

	Yin	Yang	Yin	Yang
Taille	Moyenne à petite	Moyenne à grande	☐	☐
Structure	Délicate	Anguleuse	☐	☐
Allure	Épaules rondes ou tombantes	Épaules carrées ou larges	☐	☐
Visage	Arrondi ou délicat	Anguleux ou osseux	☐	☐
Joues	Rondes	Saillantes	☐	☐
Yeux	Ronds ou grands	Droits ou petits	☐	☐
Nez	Rond et court	Droit et long	☐	☐
Bouche	Pulpeuse et sensuelle	Mince ou large	☐	☐
Cheveux	Bouclés	Raides	☐	☐
Mains et pieds	Petits ou minces	Larges ou longs	☐	☐

Si la majorité des qualificatifs se situent dans la colonne du Yin, vous êtes extrême YIN, donc romantique.

S'ils se situent dans la colonne du Yang, vous êtes extrême Yang, donc dramatique ou sportive.

S'ils sont également répartis dans les deux colonnes, vous êtes modérée, donc classique.

Êtes-vous visuelle ou auditive?

D'après le principe du Yin et du Yang, il existe deux façons de voir, d'entendre et d'agir. Le tableau qui suit, vous permettra de découvrir si vous êtes plutôt visuelle ou auditive.

Visuelle	Auditive	Visuelle	Auditive
Très volubile	Peu bavarde	☐	☐
Extravertie	Introvertie	☐	☐
Visage expressif	Visage peu expressif	☐	☐
Esprit incisif	Esprit analytique	☐	☐
Active	Plutôt sédentaire	☐	☐
Besoin absolu de plaire	Désir de plaire	☐	☐
Changeante	Stable	☐	☐

LES QUATRE GRANDS TYPES DE PERSONNALITÉ INTÉRIEURE

Les différentes écoles de pensée

D'éminents personnages nous ont laissé en héritage les résultats de leurs recherches sur les quatre grands types de personnalités. Dès l'Antiquité, Hippocrate et Gallien attestent de l'existence de catégories d'individus : **bilieux, sanguins, lymphatiques** et **atrabiliaires**, qui ont servi de base à la science médicale pendant des siècles.

Au XVIIIᵉ siècle, des médecins approfondissent les connaissances en ce domaine et en viennent, eux aussi, à classifier les individus d'après quatre grands genres : **réalisateurs, mobiles, sédentaires, penseurs**.

De nos jours, les chercheurs classent les individus selon les couleurs : **rouge, jaune, bleu, vert**.

Quel que soit le nom donné à chacune de ces catégories au fil des âges, nous nous rendons compte qu'elles se rejoignent toutes dans leurs caractéristiques.

Le texte qui suit vous permettra de découvrir, à travers les descriptions des couleurs primaires, les traits caractéristiques des différentes classifications. Le rouge s'associe au bilieux et au réalisateur, le jaune au sanguin et au mobile, le bleu à l'atrabiliaire et au penseur, et le vert au lymphatique et au sédentaire.

La couleur est étroitement reliée au tempérament et à la personnalité. Les hommes et la planète sont influencés par la vibration des couleurs et des formes. L'être humain lui-même est formes et couleurs en soi.

Les recherches et les analyses sur le comportement humain et sur les couleurs sont venues confirmer le fait que chaque personne étant unique, il est normal qu'elle réagisse différemment selon les situations. C'est pourquoi il nous arrive parfois de rencontrer des gens qui ont les mêmes réactions que nous et d'autres, des réactions totalement opposées.

D'après les couleurs, nous sommes en mesure de décrire les quatre grands types d'individus. Le jaune et le rouge, pour les extraverties, le vert et le bleu pour les introverties.

Les tests suggérés vous permettront de découvrir votre vraie nature et vos désirs profonds. Les résultats obtenus vous permettront de modifier vos attitudes dans différentes situations vécues et face aux personnes que vous rencontrerez.

VOUS ÊTES EXTRAVERTIE

SI VOUS AIMEZ :

sortir en groupe

rire et danser

les dernières modes

les couleurs vives

une activité fébrile

VOUS ÊTES INTROVERTIE SI VOUS AIMEZ :

les tête-à tête

la solitude

les vêtements pratiques

les couleurs sobres

prendre le temps de vivre

PATRIZIA
PAR Mondi

A vant d'aller plus loin dans la connaissance de soi, il est bon de se familiariser avec le sens des couleurs et les liens qu'elles ont avec les individus.

Le jaune

Le jaune, couleur du soleil, de l'or, de la richesse et de la parole, est une couleur chaude, voyante, énergisante. Elle correspond aux personnes extraverties et créatrices.

Si vous êtes jaune, vous êtes originale, remplie d'imagination et de créativité. Vous avez des talents artistiques et la spiritualité ne vous laisse pas indifférente. Vous aimez la nouveauté, le changement, le mouvement. Vous êtes généreuse, perfectionniste et douée d'une intelligence verbale rare. Vous rayonnez.

Le rouge

Le rouge, couleur du feu et du sang, est une couleur voyante qui convient parfaitement aux personnes extraverties et actives.

Si vous êtes rouge, vous êtes gagnante, intense, impulsive, active, compétitive, passionnée, réalisatrice, ardente. Vous aimez les nouveautés et vous détestez la répétition. Vous prenez rapidement des décisions et le risque vous plaît. D'une ponctualité exemplaire, vous ne tolérez aucun retard.

Le vert

Le vert, couleur du monde végétal qui nous entoure, est une couleur de croissance, d'espérance et de vie qui convient bien aux personnes introverties, réservées et émotives.

Le vert est composé du bleu, une couleur froide, et du jaune, une couleur chaude. Le bleu vous porte à retenir vos émotions et le jaune, à être hautement émotive.

Si vous êtes verte, vous êtes concernée par la santé et le bien-être des gens; vous aimeriez consacrer votre vie à sauver l'humanité et à rendre service.

Croquis de Louis Féraud

Le bleu

Le bleu, couleur du ciel et de l'air, est une couleur froide et introvertie. Elle symbolise la sagesse, le calme, le repos.

Si vous êtes bleue, vous êtes une personne sage, tournée vers son monde intérieur, aimant la paix, la tranquillité, la franchise, la droiture. Vous analysez avant de juger et vous agissez de façon réfléchie.

Vous savez ce que vous voulez et vous êtes conservatrice dans vos choix.

JAUNE, ROUGE, VERTE OU BLEUE ?

Découvrez votre personnalité intérieure.

Relevez les adjectifs qui vous décrivent le mieux dans le questionnaire suivant puis, en examinant le résultat que vous obtiendrez, vous serez en mesure de déterminer votre personnalité intérieure. Vous retrouverez probablement des traits de caractère dans chacune des colonnes puisque les types de personnalité purs sont extrêmement rares. Par contre, certains de ces traits seront plus dominants que d'autres. C'est ce qui vous aidera à établir vos personnalités primaire et secondaire.

	1	2	3	4	1	2	3	4
PERSONNALITÉ :								
	Expressive	Dominatrice	Plaisante	Logique	☐	☐	☐	☐
	Animée	Mesurée	Accommodante	Calme	☐	☐	☐	☐
	Sociable	Performante	Humaniste	Réaliste	☐	☐	☐	☐
ALLURE :								
	Enthousiaste	Active	Routinière	Réservée	☐	☐	☐	☐
VOIX :								
	Empreinte d'émotion	Ferme	Pausée	Calme	☐	☐	☐	☐
	Animée	Directe	Basse	Douce	☐	☐	☐	☐
LANGAGE CORPOREL :								
	Chaleureux	Impatient	Timide	Autoritaire	☐	☐	☐	☐
	Amical	Dominateur	Poli	Raisonneur	☐	☐	☐	☐
ENVIRONNEMENT :								
	Désordonné	Spectaculaire	Familial	Ordonné	☐	☐	☐	☐
	Moderne	Futuriste	Baroque	Traditionnel	☐	☐	☐	☐

SOUS-TOTAL

	1	2	3	4	1	2	3	4

Comportement émotif :

	1	2	3	4	1	2	3	4
	Amical	Entier	Calme	Froid	☐	☐	☐	☐
	Spontané	Passionné	Réservé	Distant	☐	☐	☐	☐

Relations avec les autres :

	1	2	3	4	1	2	3	4
	Ouvertes	Dominatrices	Chaleureuses	Critiques	☐	☐	☐	☐

Emploi du temps :

	1	2	3	4	1	2	3	4
	Vie sociale et mondaine	Hyper-activité	Vie familiale et humaine	Organisation	☐	☐	☐	☐

Vêtements :

	1	2	3	4	1	2	3	4
	Élégants	Dramatiques	Conventionnels	Conservateurs	☐	☐	☐	☐
	Sophistiqués	Rigoureux	Recherchés	Classiques	☐	☐	☐	☐
	Dernier cri	Épurés	Conformistes	Pratiques	☐	☐	☐	☐

J'aime :

	1	2	3	4	1	2	3	4
	Parler	Réaliser	Travailler	Contrôler	☐	☐	☐	☐
	La gloire	Les honneurs	La paix	Les théories	☐	☐	☐	☐
	La foule	Les groupes	La famille	La solitude	☐	☐	☐	☐

Je n'aime pas :

	1	2	3	4	1	2	3	4
	Être seule	La lenteur	Le risque	La rapidité	☐	☐	☐	☐

Faites le total des mots relevés dans chacune des colonnes et inscrivez le résultat ci-dessous.

Le résultat le plus élevé vous donne un aperçu de votre personnalité intérieure primaire.
Celui qui vient en deuxième, un aperçu de votre personnalité intérieure secondaire.

1	2	3	4
Jaune	Rouge	Verte	Bleue

Total

Deux personnes peuvent partager les mêmes émotions sans pour autant les vivre au même rythme. Il est bien évident que ces deux personnes peuvent aussi n'avoir aucun point en commun. À ce moment-là, il s'agit de comprendre les différences et de savoir en tirer partie pour établir une meilleure communication.

Consultez le tableau de la communication pour découvrir les autres et les accepter d'une façon plus positive.

LA COMMUNICATION AVEC LES AUTRES

Le tableau de la communication

Un jaune rencontre un autre jaune : l'énergie entre les deux est très forte. Il lui faut de la discipline et un grand respect de l'emploi du temps.

Un jaune rencontre un rouge : le rythme est rapide. Le jaune doit maîtriser son enthousiasme et être ponctuel.

Un jaune rencontre un vert : ils ont un rythme différent. Le jaune doit ralentir, expliquer, rassurer.

Un jaune rencontre un bleu : ils ont un rythme opposé. Le jaune doit faire preuve de patience, être versatile et généreux dans ses explications.

Un rouge rencontre un autre rouge : le rythme est dynamique, les objectifs sont précis, le rapport de force est égal.

Un rouge rencontre un jaune : le rythme est rapide. Le rouge doit se détendre, s'attendre à des retards, proposer des rencontres sociales.

Un rouge rencontre un vert : ils ont un rythme opposé. Le rouge doit accepter l'indécision du vert, se pencher sur ses états d'âme.

Un rouge rencontre un bleu : le rythme est différent. Le rouge doit comprendre que le bleu a besoin de réfléchir avant de décider.

Un vert rencontre un autre vert : une complicité s'établit, une conscience de la qualité de la vie.

Un vert rencontre un jaune : le rythme est différent. Le vert doit accélérer son rythme et accepter la versatilité du jaune.

Un vert rencontre un bleu : le rythme est lent. Le vert doit établir un climat de confiance.

Un vert rencontre un rouge : le rythme est opposé. Le vert doit s'affirmer tout en respectant le besoin de ponctualité du rouge.

Un bleu rencontre un autre bleu : le rythme est lent. Ils doivent échanger beaucoup d'informations et travailler conjointement pour établir des échéanciers.

Un bleu rencontre un vert : le rythme est lent. Le bleu doit établir une relation plus intime en faisant preuve d'humanisme.

Un bleu rencontre un jaune : le rythme est opposé. Pour établir un climat d'entente, le bleu doit respecter l'excentricité du jaune et savoir l'écouter.

Un bleu rencontre un rouge : le rythme est différent. Le bleu doit transmettre des messages brefs et clairs, et miser sur les gratifications.

19

LA CONNAISSANCE DE SOI

BALENCIAGA

PERSONNALITÉ ET VÊTEMENT

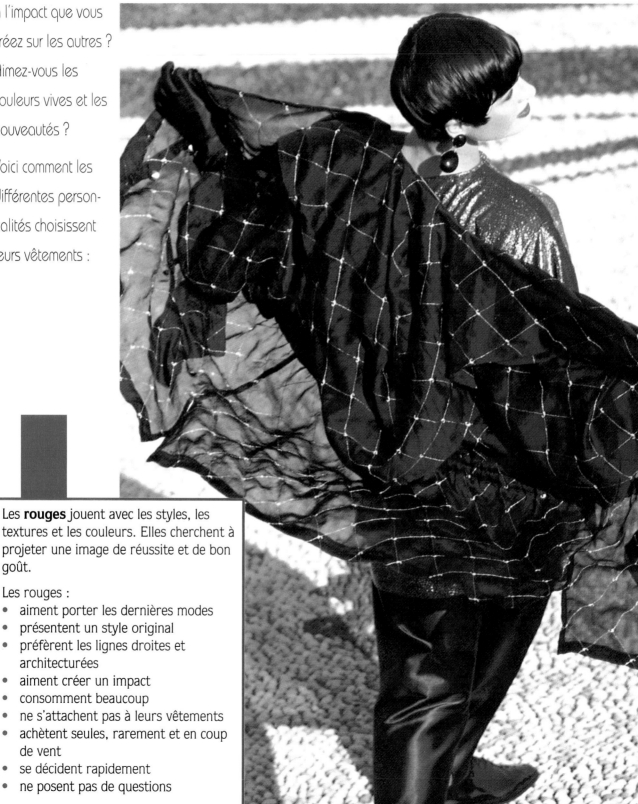

Attachez-vous de l'importance à la mode ? Pensez-vous à l'impact que vous créez sur les autres ? Aimez-vous les couleurs vives et les nouveautés ?

Voici comment les différentes personnalités choisissent leurs vêtements :

Les **rouges** jouent avec les styles, les textures et les couleurs. Elles cherchent à projeter une image de réussite et de bon goût.

Les rouges :
- aiment porter les dernières modes
- présentent un style original
- préfèrent les lignes droites et architecturées
- aiment créer un impact
- consomment beaucoup
- ne s'attachent pas à leurs vêtements
- achètent seules, rarement et en coup de vent
- se décident rapidement
- ne posent pas de questions

Les **vertes** savent tirer parti de tout. Avec une habileté étonnante, elles donneront juste la touche nécessaire à un vêtement pour le rehausser.

Les vertes :

- recherchent avant tout le confort
- tiennent compte du prix et de la durabilité
- ne suivent pas nécessairement les tendances
- dénichent des aubaines incroyables
- gardent leurs vêtements pendant des années
- sont accompagnées lorsqu'elles font des achats
- sont indécises et ne se fient pas à leur jugement
- posent beaucoup de questions

21

La
connaissance
de soi

Patrizia par Mondi

Les **jaunes** aiment créer une certaine impression sur les gens. On ne doit pas les oublier... Elles s'assureront donc, d'après les vêtements qu'elles portent, de créer l'effet voulu.

Les jaunes :
  préfèrent des vêtements aux lignes fluides
  s'habillent toujours à la dernière mode
  attachent beaucoup d'importance aux griffes
  aiment se faire remarquer
  ne gardent pas leurs vêtements longtemps
  consomment à un rythme effréné
  achètent seules, en coup de vent et en coup de foudre
  ne se posent pas de questions

Les **bleues** sont plus conserva-
trices que les autres. La mode
les intéresse, certes, mais elles
ne sentent pas la nécessité de la
suivre au pied de la lettre.

Les bleues :
   préfèrent une tenue
   classique
   misent beaucoup sur la
   qualité et sur la durabilité
   accordent beaucoup
   d'importance à l'entretien
   des tissus
   gardent leurs vêtements
   longtemps
   n'achètent pas sans avoir
   planifié
   posent beaucoup de
   questions
   achètent seules ou avec
   d'autres
   prennent leur temps avant
   de se décider

Irving Samuel

COULEUR

LE MONDE DE LA

LE MONDE DE LA COULEUR

*Q*ui ne s'est jamais émerveillé devant les couleurs de l'arc-en-ciel, après un orage ? Ce phénomène est créé par la réflexion et la réfraction des rayons du Soleil dans les gouttes de pluie aussi transparentes que du cristal. Et qui ne s'est jamais posé de questions en observant les couleurs réfléchies par un cristal clair exposé à une source de lumière ? De tout cela, nous pouvons déduire que la couleur est lumière et, par conséquent, que la lumière est couleur.

À tout instant, sans même nous en rendre compte, nous sommes influencés par les couleurs. Certaines d'entre elles nous agressent, d'autres nous apaisent. Du reste, par un choix judicieux des formes et des couleurs, les publicitaires ne savent-ils pas attirer notre attention à coup sûr ?

Les couleurs reflètent aussi nos humeurs. Des expressions comme broyer du noir, avoir une peur bleue, voir rouge, voir la vie en rose, être vert d'envie... vous sont sûrement familières et savent bien dévoiler les états d'âme.

Si le statut social d'un individu se révèle entre autres par ses vêtements, le choix des couleurs joue alors un rôle primordial. Des études démontrent que les tons choisis aussi bien pour les vêtements que pour la décoration intérieure, les logos ou même une automobile contribuent à définir la personnalité d'un individu. Les couleurs renforcent ou atténuent sa crédibilité aux yeux des autres.

Chacune d'elles joue un rôle bien défini et peut inspirer, équilibrer, protéger et motiver. Donc, si vous tenez compte, dans vos choix, des couleurs qui vous conviennent, vous révélerez une des facettes de votre personnalité.

À différents moments de votre existence, vous préférerez certaines couleurs à d'autres. Il y a des jours où votre apparence attire les compliments de tous. D'autres, par contre, où personne n'y porte attention. Comment cela se fait-il ?

Pour un vêtement, la couleur a autant d'importance que son style. Alors, comment savoir choisir les teintes qui nous conviennent le mieux si l'on ne prend pas, au préalable, le temps de s'étudier en profondeur et de bien se connaître ?

Dans ce chapitre qui traite du monde de la couleur, il n'est plus question de vous laisser influencer par les autres, mais de développer votre goût afin d'être capable de choisir les teintes qui sauront vous mettre en valeur. Méfiez-vous de vos impulsions... Il vous est sûrement déjà arrivé de vous rendre compte, en appliquant un rouge à lèvres que vous veniez d'acheter, par exemple, que la teinte ne vous allait pas vraiment...

Pour palier à ces petits problèmes, vous trouverez dans les pages qui suivent, non seulement les principales caractéristiques de la couleur, mais tous les outils nécessaires pour l'apprivoiser.

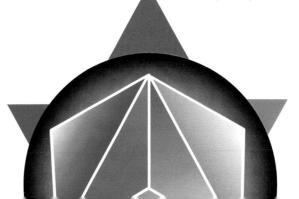

UNE VIE TOUTE EN COULEURS

Osez porter des couleurs !

Il est reconnu que les couleurs ont une influence positive ou négative sur le comportement humain, que ce soit conscient ou non. De plus, il est excellent pour le moral de s'envelopper et de s'entourer de couleurs. On trouve normal de consacrer temps et argent à la décoration intérieure afin de se créer un petit nid douillet bien confortable. Pourquoi ne pas accorder autant d'attention lorsqu'il s'agit de choisir les couleurs de ses vêtements ? On se laisse trop souvent influencer par différents courants en matière de mode et par le goût des autres. Il est effectivement normal de suivre une mode, mais encore faut-il savoir l'adapter à ses besoins... Prenez alors le temps d'analyser vos besoins et vos goûts personnels afin d'en tirer le maximum.

Le spectre des couleurs

En 1669, Isaac Newton, physicien, mathématicien, astronome et penseur anglais, donne une théorie de la composition de la lumière blanche provenant du Soleil.

L'observation d'un rayon lumineux traversant un prisme transparent révélait que ce rayon se composait de sept couleurs dont les longueurs d'ondes variaient. Ces couleurs sont les mêmes que celles que l'on retrouve dans l'arc-en-ciel. Encore aujourd'hui, la théorie de Newton s'applique toujours.

Les couleurs primaires

Les couleurs primaires, le rouge, le jaune et le bleu, constituent la base de toutes les autres couleurs. À partir de ces trois couleurs de base mélangées les unes avec les autres, auxquelles on peut également ajouter du noir et du blanc, il est possible de créer un nombre infini de teintes.

Les couleurs secondaires

Les couleurs secondaires, le violet, le vert et l'orange, s'obtiennent en mélangeant, en proportions égales, les couleurs primaires entre elles.

Un mélange de rouge et de jaune donne l'orange.

Un mélange de rouge et de bleu donne le violet.

Un mélange de bleu et de jaune donne le vert.

Les couleurs tertiaires

Les couleurs tertiaires s'obtiennent en mélangeant les couleurs primaires avec les couleurs secondaires qui leur sont adjacentes. Par exemple, le bleu-violet s'obtient en mélangeant du bleu et du violet, le vert-jaune en mélangeant du vert et du jaune et le rouge-violet en mélangeant du rouge et du violet.

Les couleurs complémentaires

Les couleurs complémentaires sont les couleurs qui sont directement opposées sur la roue des couleurs. On les appelle ainsi parce qu'elles se complètent dans la composition de la lumière blanche.

Par exemple, le violet est la complémentaire du jaune, l'orange, la complémentaire du bleu et le vert, la complémentaire du rouge.

Fixez pendant quelques secondes le point rouge ci-contre. Fermez ensuite les yeux. Vous verrez apparaître la couleur verte, comme si elle venait compléter et équilibrer le rouge.

Les couleurs adjacentes

Essayons de voir, d'après la roue des couleurs, quelles sont les teintes qui ont un lien entre elles.

Par exemple, le bleu a un lien avec le bleu-violet et le bleu-vert parce que les deux couleurs adjacentes, soit le violet et le vert, ont une base de bleu. Le bleu pur a un lien avec le vert et le violet qui renferment une base de bleu.

Les teintes neutres

En mélangeant les couleurs complémentaires entre elles, on se rapproche des teintes neutres. Les couleurs originales perdent alors leur éclat.

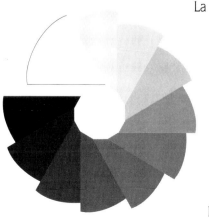

La valeur de la couleur

La valeur de la couleur se décrit d'après son degré d'intensité, pâle ou foncé.

Par exemple, le noir représente le degré d'intensité le plus foncé et le blanc, le plus pâle.

VIVE

SOMBRE

L'intensité et la force de la couleur

Voici l'échelle d'intensité et de force des couleurs pures.

L'intensité et la force de la couleur se décrivent d'après son aspect, sombre ou vif. Plus la teinte se rapproche du gris, plus elle est sombre. Plus elle se rapproche du jaune, plus elle est éclatante ou vive.

LA RONDE DES COULEURS

Certaines couleurs réchauffent, éveillent... comme le jaune qui représente le soleil, et le rouge, le feu; d'autres qui refroidissent, qui calment, comme le bleu de l'eau. Comment expliquer un tel phénomène ?

Les couleurs sont magiques... leur effet ne se limite pas uniquement aux sensations de chaleur et de froid; il joue avec notre humeur, notre comportement, notre subconscient.

C'est pourquoi les teintes qui nous conviennent nous font vibrer, nous donnent de l'éclat, de la vitalité, rehaussent notre teint et nous font aussi paraître plus jeune. Par contre, les couleurs qui ne s'harmonisent pas avec notre personnalité nous donnent un teint terne, un air maladif, nous font paraître fatiguée et éventuellement, plus âgée.

En sachant cela, il est donc important de toujours garder à l'esprit que la couleur n'est qu'une question de choix et que ce choix peut faire toute la différence !

Le rouge est une couleur tonique et excitante.

Il rehausse l'éclat du visage, attire et retient l'attention.

En portant du rouge, vous communiquez une image énergique, intense et optimiste.

Servez-vous du rouge pour contrer la fatigue physique ou pour donner une impression de force. Portez-le pour vous stimuler et vous donner un regain d'énergie.

Le blanc est le mélange de toutes les couleurs. D'un aspect neutre, il s'harmonise avec toutes les teintes. Cependant, si vous ne portez que du blanc, vous risquez de projeter une image plutôt froide.

Nous vous suggérons donc d'ajouter de légères touches de couleur.

Le blanc, symbole d'innocence et de pureté, peut, d'après sa signification ésotérique, vous protéger des soucis.

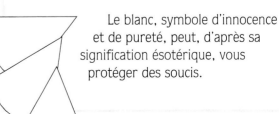

Le bleu représente la confiance, la sagesse, la loyauté.

En portant du bleu vous communiquez une image de paix, de calme et de sérénité.

Le bleu vous aidera à combattre la fatigue morale.

Cette couleur vous incitera à la créativité et à la sagesse; elle vous aidera aussi à stimuler vos facultés intellectuelles.

Le violet, symbole de royauté, de foi, de mystère et d'intrigue, projette une image de dignité, de raffinement, de richesse et de noblesse.

Cette couleur vous donnera de l'assurance et, de ce fait, vous inspirerez confiance.

D'après sa signification ésotérique, le violet aidera à développer des qualités de perceptions extra-sensorielles.

Le vert est le symbole de la vie, de la croissance et de l'espérance. Il vous donnera une image de fraîcheur et de sérénité. Vous vous sentirez plus calme.

Cette couleur vous aidera à développer votre confiance et à atteindre l'équilibre.

L'orange symbolise l'énergie et la créativité.

Étant composé de rouge et de jaune, il possède les caractéristiques de ces deux couleurs.

Le noir est loin d'être hostile bien qu'il symbolise la rigueur, le silence, l'autorité, la tristesse. Cette couleur protège du monde extérieur et des émotions, mais elle freine souvent la communication.

Cela ne veut pas dire qu'il ne faut plus porter de noir ! Cependant, si votre garde-robe se compose en majorité de noir, nous vous conseillons d'y ajouter des touches vives et de tenir compte des aspects psychologiques des autres couleurs.

Le jaune est la couleur du soleil. Représentant la chaleur et l'amitié, il symbolise la joie de vivre et la jeunesse.

Si vous aimez cette couleur, elle vous aidera à vous remonter le moral et à chasser la dépression.

C'est la couleur de communication par excellence.

LES COULEURS FROIDES ET LES COULEURS CHAUDES

Les couleurs froides sont les couleurs auxquelles du bleu a été ajouté à la couleur de base pour en modifier le degré de température.

Les couleurs chaudes sont les couleurs auxquelles du jaune a été ajouté à la couleur de base pour en modifier le degré de température.

Depuis que l'on associe les couleurs aux saisons, les couleurs froides sont appelées hiver ou été et les couleurs chaudes, automne ou printemps.

Pour établir leur système d'analyse des couleurs, les concepteurs se sont inspirés des quatre saisons. Cela n'a rien de surprenant puisque la palette de couleurs de chacune d'elles est très représentative des teintes de la saison.

L'hiver

La palette des couleurs d'hiver, dont la base est le bleu, se compose de blanc neige, de couleurs glacées comme le ciel d'hiver et neutres comme les squelettes des arbres, de vert forêt et de couleurs primaires.

L'été

La palette des couleurs d'été a également une base de bleu, mais les teintes sont plus douces, jouant avec les gris et les pastel, des teintes qui nous révèlent la nature à la lumière d'un jour d'été.

Madeleine Beck

1
2
3
4
5
6
7
8
9
10

L'automne

La palette de couleurs d'automne contient une base de jaune doré. Les couleurs sont riches, terrestres et sombres tout comme le sont les couleurs automnales que l'on retrouve dans la nature. Les jaune moisson, les quenouille, les citrouille, les rouge brûlé, les vert mousse et les jaune or de nos feuilles d'automne sont à l'honneur.

Le printemps

La palette de couleurs du printemps renferme une base de jaune plus clair. Les couleurs sont donc plus pâles, plus vives et plus claires. On y retrouve des vert tendre et des teintes de fleurs et de fruits printaniers.

L'ANALYSE DES COULEURS SELON VOTRE TYPE

Avant de passer au test d'auto-évaluation pour connaître les couleurs qui vous conviennent le mieux, regardons comment une telle analyse se fait en milieu professionnel.

Tout d'abord, la pièce qui tient lieu de bureau de consultation sera dans des teintes claires et neutres. Une fenêtre, surtout si elle est orientée vers le nord permettra un examen de la peau à la lumière du jour. Si cette clarté est insuffisante, on aura alors recours à un éclairage halogène. La lumière ne doit pas, cependant, être trop jaune ou trop blanche.

Après vous avoir introduite dans le bureau de consultation, la spécialiste procédera à un démaquillage complet de votre visage. Ayant recouvert vos épaules d'une cape blanche afin d'éliminer toute source de distraction (reflets ou autres), elle sera en mesure de déterminer les couleurs de base de votre peau, de vos yeux et de vos cheveux. Cette analyse lui permettra, par la suite, de vous suggérer, tant pour votre maquillage que pour vos vêtements, une gamme de couleurs qui s'harmonisent bien avec vous.

Il vous est possible de faire vous-même cet examen. Détachez les pages annexes 1 à 3 à la fin de votre livre, installez-vous devant votre miroir et, selon le cas, comparez-les à la couleur de votre peau, de vos yeux et de vos cheveux.

Personnalisez vos couleurs !

Souvenez-vous qu'une harmonie parfaite des couleurs atténue les rides, fait ressortir les traits du visage, lui donne de l'éclat et, par le fait même, un air radieux. Par contre, un mauvais choix de couleurs produira l'effet contraire.

Si une personne ayant une pigmentation chaude choisit des teintes froides, sa peau paraîtra blême, livide et sans éclat, ses traits seront plus accentués de même que les cernes sous les yeux. Il n'y aura aucune harmonie entre son visage et la couleur de ses vêtements et elle devra appliquer un maquillage beaucoup plus prononcé pour pallier à cela.

Si une personne ayant une pigmentation froide porte des couleurs chaudes, elle donnera l'impression d'avoir un teint terne et ses yeux perdront de leur éclat. Les cernes sous les yeux seront plus prononcés, les coins de sa bouche, ombragés et les rides, plus accentuées. Encore là, il n'y aura aucune harmonie entre le visage et les vêtements.

Si votre pigmentation est chaude, les couleurs qui vous conviennent sont dans des tons d'orange et de bleu sarcelle, autrement dit, les teintes chaudes. Cependant, si ce sont des teintes froides comme le rose fushia et le bleu royal qui s'harmonisent le mieux avec vous, votre pigmentation est froide.

Pour vous aider à déterminer les couleurs qui vous conviennent, consultez la gamme des couleurs froides et chaudes, ainsi que les roues de couleurs de ce chapitre.

La couleur de la peau

La pigmentation de votre peau contient du rouge, de l'orange, du jaune?

Si elle contient du rouge, cherchez, sur la roue des couleurs, sa complémentaire (couleur opposée). Cette dernière, en l'occurence le vert, vous conviendra tout particulièrement et vous donnera un teint éclatant.

Si elle contient de l'orange, sa complémentaire, le bleu, vous conviendra très bien et rehaussera votre teint. Si elle contient du jaune, sa complémentaire, le violet, vous ira comme un gant et vous donnera bonne mine.

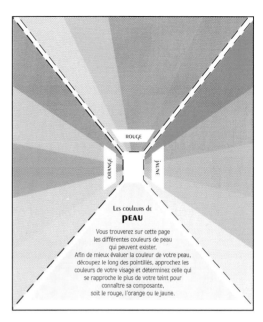

La couleur de ma peau contient :	Sa complémentaire est :
du rouge	le vert
de l'orange	le bleu
du jaune	le violet

La couleur des yeux

Faites ensuite l'analyse de vos yeux. Regardez avec quelle couleur ils s'harmonisent le mieux dans la page des couleurs des yeux à la fin de votre livre. Sont-ils bruns teintés de rouge, de jaune, d'orange; verts avec des reflets jaunes; verts; bleus avec des reflets verts; bleus ou gris? Une fois de plus, choisissez leur complémentaire.

La couleur de mes yeux contient :	Sa complémentaire est :
du brun-rouge	le vert
du brun-orange	le bleu
du brun-jaune	le violet
du vert-jaune	le rouge-violet
du vert	le rouge
du bleu-vert	l'orange-rouge
du bleu ou du gris	l'orange

La couleur des cheveux

Procédez de la même façon pour l'analyse de vos cheveux. Déterminez en premier lieu s'ils contiennent du rouge, de l'orange ou du jaune. Puis, choisissez la complémentaire.

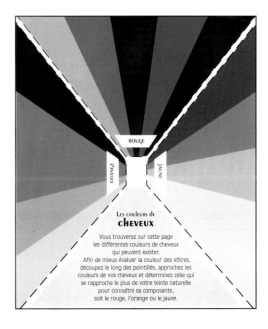

La couleur de mes cheveux contient :	Sa complémentaire est :
du rouge	le vert
de l'orange	le bleu
du jaune	le violet

 **TEST** D'AUTO-ÉVALUATION DE VOS COULEURS

Sélectionnez les couleurs qui vous attirent le plus parmi les éventails de cette page et compilez les résultats.

Puisque vous avez déterminé votre type de pigmentation, vous êtes en mesure de choisir la palette de couleurs qui vous convient, c'est-à-dire celle qui regroupera le plus de teintes de votre choix. Écrivez au centre de chaque éventail le nombre de couleurs qui vous plaisent. Faites ensuite le total de chacune des deux colonnes pour déterminer si vous préférez l'harmonie froide ou l'harmonie chaude. Découpez finalement **la palette de couleurs-saisons** qui vous convient à la fin de votre livre et gardez-la précieusement; elle vous sera utile pour vos futurs achats.

	COULEURS FROIDES	COULEURS CHAUDES
PÂLES		
VIVES		
NEUTRES		
FONCÉES		
TOTAL :	couleurs froides	couleurs chaudes

1
2
3
4
5
6
7
8
9
10

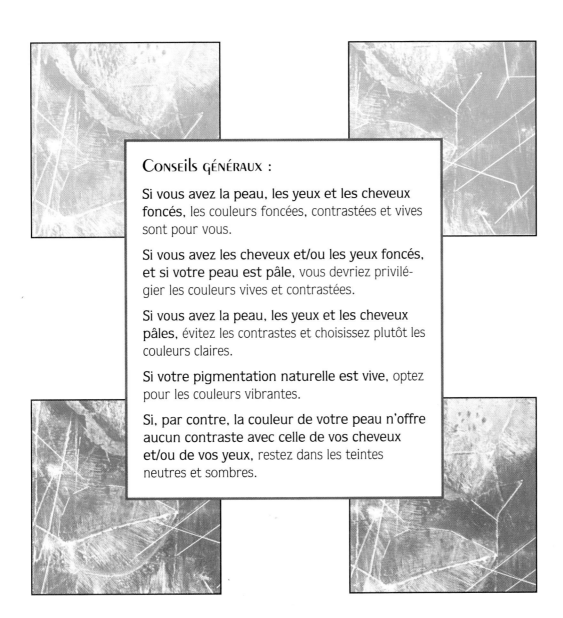

Conseils généraux :

Si vous avez la peau, les yeux et les cheveux foncés, les couleurs foncées, contrastées et vives sont pour vous.

Si vous avez les cheveux et/ou les yeux foncés, et si votre peau est pâle, vous devriez privilégier les couleurs vives et contrastées.

Si vous avez la peau, les yeux et les cheveux pâles, évitez les contrastes et choisissez plutôt les couleurs claires.

Si votre pigmentation naturelle est vive, optez pour les couleurs vibrantes.

Si, par contre, la couleur de votre peau n'offre aucun contraste avec celle de vos cheveux et/ou de vos yeux, restez dans les teintes neutres et sombres.

FICHE PERSONNELLE

La couleur de ma peau est : _____ sa complémentaire est : _____

La couleur de mes yeux est : _____ sa complémentaire est : _____

La couleur de mes cheveux est : _____ sa complémentaire est : _____

J'ai choisi la palette de couleurs froides ☐

chaudes ☐

ESTHÉTIQUES

LES SOINS

Collage avec détail de Nu et mode N° 3 de Louis Féraud

LES SOINS ESTHÉTIQUES

Depuis la fin des années 1970, les médias regorgent d'annonces publicitaires sur des produits de beauté miracles de toutes sortes.

Cette fièvre a poussé les consommatrices à être beaucoup plus exigeantes et à attendre, des produits qui leur sont offerts, une plus grande efficacité.

Les années 1980 apportent des recettes-miracles. Le fond de teint de la même couleur que la peau prend la vedette : le visage n'a plus l'air d'un masque. On recherche une allure des plus naturelles.

Les analyses de couleurs faites en consultation prennent aussi leur essor. La même question revient sur toutes les lèvres : «De quelle saison es-tu? »

Et qu'elle soit automne, printemps hiver ou été, la femme peut désormais compter sur une approche plus facile, car le choix des couleurs en maquillage est simplifié.

Viennent ensuite les coupes de cheveux qui se veulent stylisées, et qui sont accompagnées de toute une panoplie de mousses, de

1
2
3
4
5
6
7
8
9
10

shampooings, de fixatifs et de gels coiffants.

À partir des années 1985, et ce, à l'échelle mondiale, les grands laboratoires mettent au point des produits de beauté et capillaires très performants axés, les premiers sur l'hydratation, la protection et la régénération de la peau, les seconds, sur la beauté d'une chevelure saine et en santé. Une recrudescence des cancers de la peau amène les médecins à sensibiliser les gens aux dangers des expositions prolongées au soleil sans une bonne protection. Il s'ensuit, sur le marché, une prolifération de produits contenant des filtres solaires.

La fin du siècle est très prometteuse. Le message est clair : **La femme veut avoir une allure qui reflète sa personnalité.**

Elle recherche des produits efficaces, non allergènes et non testés sur les animaux. De nouveaux mots tels que bio-médulline, liposomes, etc. font maintenant partie de son vocabulaire. Les produits capillaires sont conçus pour faire épargner du temps : le shampooing et le revitalisant ne font qu'un. L'emphase est mis sur l'environnement et sur les produits bio-dégradables : catalogues et emballages sont en papier recyclé.

LA PEAU

La peau est l'organe le plus grand du corps humain. Cette enveloppe, flexible et résistante, se régénère continuellement. Étirée à son maximum, elle pourrait recouvrir une surface allant jusqu'à 1,8 m². Il est surprenant de constater que 2,5 cm² de peau renferment des millions de cellules, des cheveux, des poils, des glandes sébacées, des glandes sudoripares ainsi que des nerfs et des points récepteurs qui régularisent la température et la douleur. Cet organe, dont le mécanisme est à la fois parfait et complexe, n'a qu'un seul défaut : son vieillissement apparent.

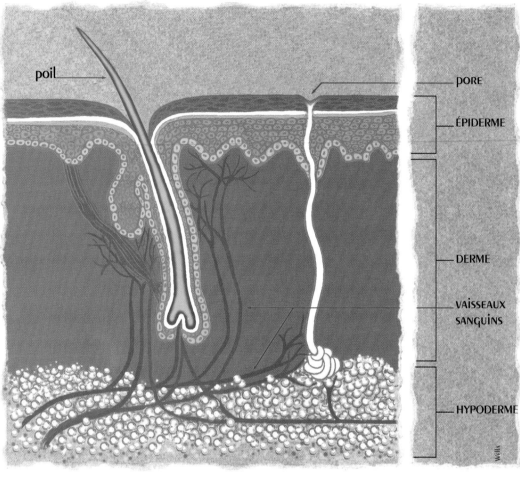

poil

PORE

ÉPIDERME

DERME

VAISSEAUX SANGUINS

HYPODERME

Au fil des ans...

La peau, dont les principales fonctions sont de protéger le corps des blessures et des bactéries, et de régulariser sa température, se compose de trois couches : le derme, l'hypoderme et l'épiderme.

Le **derme**, couche profonde de la peau sous l'épiderme, se compose d'un réseau de fibres qui produisent le collagène et l'élastine, et parmi lesquelles se reproduisent les cellules. Le derme renferme également un système glandulaire qui régularise l'hydratation. Ce processus de régénération ralentit au fil des ans et entraîne le vieillissement.

L'**hypoderme**, situé sous l'épiderme, est la continuation du derme. Il contient des cellules graisseuses qui protègent le corps contre les hausses ou les baisses de température, agit comme coussin protecteur et sert de réservoir d'énergie.

L'**épiderme**, ou couche externe de la peau, renferme plusieurs terminaisons nerveuses. Il est formé de plusieurs couches de cellules qui, en dedans d'un cycle de 28 jours, se renouvellent régulièrement et viennent mourir à la surface de la peau. Tout comme pour le derme, ce processus de régénération ralentit au fil des ans et entraîne le vieillissement.

Prévenir le vieillissement

Les tissus commencent à perdre de leur élasticité à partir de l'âge de vingt-cinq ans. Les glandes produisent alors moins d'élastine et de collagène, le processus de régénération des cellules ralentit, la circulation sanguine se fait plus lente et les huiles s'échappent de l'hypoderme.

Bien qu'il soit impossible d'empêcher le vieillissement, on peut le ralentir par une alimentation saine, du repos et un entretien régulier de la peau. Il ne faut pas oublier que ses effets sont cumulatifs. Il est donc important de s'en préoccuper très tôt. Mieux vaut prévenir que guérir !

Dès l'adolescence, il est fortement recommandé d'entretenir sa peau tout en menant une vie saine et équilibrée. On conseille l'utilisation de produits naturels, non parfumés et ne contenant aucune coloration, afin de prévenir les allergies. Une attention particulière sera portée au visage qui est continuellement exposé à l'air ambiant, et, par le fait même, à la pollution, aux pluies acides et au soleil.

Choisissez des produits qui nettoient, stimulent, hydratent en profondeur et protègent la peau.

LES SOINS DE LA PEAU

Le matin

Éliminez les excès d'huile et les impuretés à l'aide d'un lait démaquillant doux qui remplacera votre savon. Rincez à l'eau tiède, épongez légèrement, puis appliquez une lotion rafraîchissante. Lorsque votre visage et votre cou seront nettoyés en profondeur, appliquez une crème hydratante. Vous pourrez, ensuite, appliquer un fond de teint qui, de préférence, contient un écran solaire.

Le soir

Enlevez toutes traces de maquillage à l'aide d'un lait démaquillant doux qui remplacera votre savon. Utilisez un démaquillant spécial pour les yeux. Rincez ensuite à l'eau tiède, épongez légèrement, puis appliquez une lotion rafraîchissante. Traitez le tour des yeux et des lèvres avec une crème nutritive, et les parties sèches de votre visage, avec une crème de nuit.

Une fois par semaine...

Après avoir nettoyé votre peau en profondeur et l'avoir stimulée à l'aide d'une lotion rafraîchissante, appliquez en premier lieu un produit exfoliant pour éliminer les particules à la surface de la peau, puis un masque hydratant.

QUEL EST VOTRE TYPE DE PEAU ?

Les types de peau se classent en différentes catégories : normale, sèche, déshydratée, mixte, grasse.

La peau normale

Une peau normale a un aspect ni trop gras, ni trop sec. Elle est facile d'entretien, mais elle peut nécessiter des produits plus hydratants pendant les mois d'hiver.

La peau sèche

Louis Féraud

Une peau sèche a un aspect raide et tendu. Elle est souvent marquée de petites rides et ses pores sont ressérés. Ce type de peau demande une hydratation supplémentaire pour l'aider à maintenir son humidité et sa souplesse. Une fois par semaine, il est conseillé de compléter les soins quotidiens réguliers par l'application d'un produit exfoliant (pour éliminer les résidus à la surface de la peau) et d'un masque hydratant.

La peau déshydratée

Une peau déshydratée a un aspect très sec et demande une attention toute particulière. Elle nécessite une hydratation spéciale pour lui rendre son humidité et sa souplesse. Une fois par semaine, il est conseillé de compléter les soins quotidiens réguliers par l'application d'un masque doux.

La peau mixte

Une peau mixte a un aspect normal (ni trop gras ni trop sec) sauf sur le front, le nez et le menton où elle a un aspect huileux. Une fois par semaine, il est conseillé de compléter les soins quotidiens réguliers par l'application d'un produit exfoliant (pour éliminer les résidus à la surface de la peau) et d'un masque hydratant sur les parties normales et absorbant sur les parties grasses.

La peau grasse

Une peau grasse a un aspect luisant tout de suite après avoir été nettoyée. Elle est rugueuse au toucher et ses pores sont dilatés. Il est conseillé de la nettoyer souvent afin d'éviter tout risque d'infection et, une fois par semaine, de compléter les soins quotidiens réguliers par l'application d'un produit exfoliant (pour éliminer les résidus à la surface de la peau) et d'un masque absorbant.

Déterminez votre type de peau

Nettoyez votre visage en profondeur, puis laissez-le sécher. Après une vingtaine de minutes, appliquez des morceaux de ruban adhésif sur le front, le nez, les joues et le menton.

Retirez les morceaux de ruban adhésif et examinez-les soigneusement.

Si des petites pellicules blanches y sont collées, vous avez la peau sèche et/ou déshydratée.

Si une pellicule grasse les recouvre, vous avez la peau grasse.

Si des petites pellicules blanches sont collées sur les rubans adhésifs des joues, et si une pellicule grasse recouvre ceux du front, du nez et du menton, vous avez la peau normale ou mixte.

Louis Féraud

FICHE PERSONNELLE

J'ai une peau _____

LES SOINS DU CORPS

*T*out comme votre visage, votre corps demande des soins précis pour garder toute sa souplesse et sa douceur. Lorsqu'on parle des soins corporels, des mots tels que nettoyage, exfoliation et hydratation reviennent souvent. Mais en quoi cela consiste-t-il?

Le nettoyage...

Le nettoyage du corps consiste à éliminer toutes traces de saleté et d'impuretés à la surface de la peau.

Le savon en pain remplit ce rôle tout en maintenant l'équilibre naturel de l'épiderme. Parfumé ou non, il est souvent enrichi d'extraits naturels qui procurent à la peau une grande douceur.

Les gels shampooings pour le corps, de plus en plus nombreux sur le marché, sont habituellement enrichis d'extraits minéraux qui nettoient en profondeur tout en procurant une sensation de fraîcheur et de bien-être.

Certaines préféreront utiliser des produits de marque. Si tel est le cas, assurez-vous que la fragrance de ces derniers n'entre pas en conflit avec celle du parfum que vous portez. Il est souvent préférable, si vous vous parfumez, d'utiliser des produits non parfumés.

L'exfoliation...

L'exfoliation consiste à déloger les petites peaux mortes et les autres résidus à la surface de la peau. Il existe, sur le marché, des produits spécialement conçus à cet effet qui contiennent des micro-grains dont l'action sert à éliminer les impuretés les plus tenaces et les cellules mortes, et à stimuler le renouvellement cellulaire. Ce gommage, qui s'applique après le nettoyage de la peau, adoucit les rugosités tout en oxygénant les tissus. Il est conseillé de compléter ce traitement par une friction au gant de crin ou avec une éponge lufa pour activer la circulation sanguine et assouplir la peau.

L'hydratation...

L'hydratation de la peau consiste à la nourrir pour l'aider à maintenir sa souplesse et sa douceur, contribuant ainsi à « rajeunir » son apparence. Elle a pour fonction principale de protéger la peau en la recouvrant d'un film protecteur doux et satiné. On retrouve sur le marché des lotions, des huiles et des mousses hydratantes corporelles parfumées ou non, enrichies de produits divers, qui répondent aux besoins des différents types de peau. N'oubliez pas que la fragrance d'un produit parfumé peut entrer en conflit avec celle du parfum que vous portez.

*C*ertaines parties du corps, telles le cou, le buste, les mains et les pieds méritent une attention toute particulière.

Votre cou pourrait trahir votre âge...

Il existe des produits spécialement conçus pour le tonifier et le raffermir. Ces produits ont des propriétés énergisantes et reconstituantes : ils ressèrent et affinent le grain de la peau en surface et en profondeur.

La beauté du buste est très importante...

Une lotion stimulante et une crème tonifiante aideront à rehausser le galbe des seins. Il est nécessaire de stimuler la circulation sanguine et de tonifier les tissus de soutien du buste. Il existe des produits spécialement conçus pour aider à lutter contre l'affaissement des seins.

Les mains reflètent le vécu d'une personne...

Leur état peut trahir votre âge ! Selon les spécialistes du langage non verbal, les mains, qui sont le reflet du tempérament, trahissent souvent la pensée profonde. Comme la peau des mains ne sécrète pas de sébum, il est important de bien les entretenir. Des peelings, des masques et des crèmes hydratantes vous sont offerts à cet effet. Offrez-vous un bon massage des mains... vous en retirerez une sensation de douceur et de détente extrêmes.

L'élégance se joue jusqu'au bout des doigts...

Un régime suffisamment riche en calcium assurera la santé de vos ongles, et la panoplie de traitements que l'on trouve sur le marché (fortifiants, durcisseurs, traitements à base d'huiles douces vitaminées et régénératrices, bains de paraffine revitalisants et autres) aideront à rehausser la beauté de vos mains. Ne négligez pas cet aspect de votre personne.

Pour leur permettre de mieux vous supporter...

Accordez une attention toute particulière à vos pieds. Ils le méritent bien, même s'ils sont moins visibles que vos mains. Ils se vend des produits qui permettent d'éliminer la corne sur les talons et sous les pieds. Adoucissez les parties rugueuses à l'aide d'une pierre ponce, puis, tout comme pour les mains, offrez-vous un bain de pieds de paraffine. Surtout n'oubliez pas les ongles... ils méritent les mêmes soins que ceux de vos mains.

...et le cou... et le buste... et les mains... et les pieds...

DE BEAUX CHEVEUX EN TOUT TEMPS

Le cheveu est une cellule de l'épiderme qui se développe dans une gaine. Il est formé de deux parties : la racine et la tige.

GAINE ÉPITHÉLIALE

MOELLE

CORTEX

Wella

La composition d'un cheveu

Ces quelques notions de base vous aideront à mieux comprendre ce qu'est un cheveu, à déterminer votre type de cheveux et les soins nécessaires pour lui assurer santé et souplesse.

La tige d'un cheveu comprend trois parties : la **gaine épithéliale ou cuticule**, le **cortex** et la **moelle**.

La **gaine épithéliale** est la partie externe du cheveu. Elle est composée d'une couche de cellules plates qui se chevauchent un peu comme les écailles d'un poisson.

Le **cortex**, qui est situé entre la gaine épithéliale et la moelle, ressemble à des bâtonnets compacts placés dans le sens de la longueur. Il contient la mélanine, un pigment qui se retrouve aussi dans la peau et qui détermine la couleur naturelle du cheveu.

La **moelle**, formée de cellules souples aérées, est la partie centrale du cheveu.

LES SOINS DES CHEVEUX

Vous trouverez sur le marché des produits spécialement conçus pour traiter chaque type de cheveux. Mais la base des soins demeure la même pour tous.

- Avant de procéder au shampooing, il est important de bien se brosser les cheveux.

- Mouillez ensuite vos cheveux, appliquez un peu de shampooing et massez votre cuir chevelu.

- Rincez bien.

- Faites un deuxième shampooing, rincez soigneusement.

- Essorez avec une serviette éponge.

- Si vous avez besoin d'un traitement en profondeur, appliquez le produit traitant et massez pour bien le faire pénétrer dans les cheveux. Laissez reposer le temps nécessaire, massez doucement, puis rincez bien.

- Appliquez une mousse ou un gel coiffant sur les cheveux mouillés ou secs, avant d'effectuer votre mise en plis.

- Lorsqu'un professionnel de la coiffure vous fait une mise en plis, observez bien la façon dont il tient le sèche-cheveu, le pli qu'il donne à vos cheveux et la brosse qu'il utilise. Profitez-en pour lui demander des conseils; il se fera un plaisir de vous répondre. Lorsque vous faites votre mise en plis chez vous, répétez les mêmes étapes.

- Pour la touche finale, utilisez un fixatif.

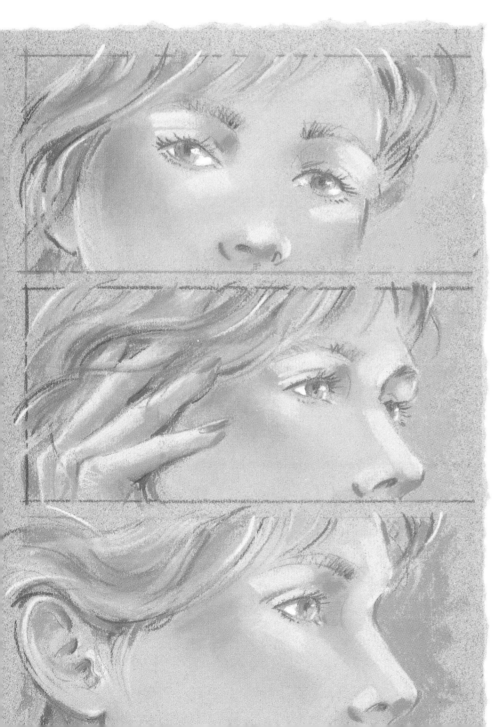

Wella

51

QUEL EST VOTRE TYPE DE CHEVEUX ?

*O*n entend le plus souvent parler de cheveux normaux, gras ou secs mais certaines personnes peuvent aussi avoir des problèmes de séborrhée (sécrétion excessive de sébum) ou de pellicules. En déterminant votre type de cheveux, vous pourrez ensuite, grâce à des traitements et des régimes appropriés, prendre les moyens nécessaires pour leur redonner vigueur et éclat.

Les **cheveux normaux** sont souples et lustrés. Ils se coiffent facilement et ont une tenue normale. On ne remarque aucun excès de sébum sur le cuir chevelu. Bien qu'un shampooing deux fois par semaine suffise, il est toutefois conseillé d'appliquer un traitement hydratant une fois par semaine.

Les **cheveux gras** ont un aspect terne et sont difficiles à coiffer. Peu de temps après les avoir lavés, ils se séparent et on remarque un excès de sébum (pellicule grasse) sur le cuir chevelu. En plus d'utiliser des produits spéciaux pour cheveux gras, une diète bien équilibrée peut aider à réduire l'activité des glandes sébacées.

Les **cheveux secs** ont une apparence mate et crépue. Leurs pointes se dédoublent et ils cassent facilement. Les personnes qui ont les cheveux secs (souvent celles qui bouclent naturellement ou qui utilisent des produits chimiques comme les teintures et les permanentes) ont un cuir chevelu très sensible.

Les **cheveux pelliculeux** se reconnaissent à la poussière de peaux sèches qui se dépose sur les vêtements.

Les **cheveux séborrhéiques** peuvent avoir un aspect sec ou un aspect gras. Une séborrhée est dite sèche lorsque le cuir chevelu est gras et que la tige des cheveux est sèche. Une séborrhée est dite grasse lorsque le cheveu lavé le matin est gras le soir.

Il ne faut pas oublier qu'il existe, sur le marché, des produits capillaires spécialement conçus pour chaque type de cheveux. De plus, votre professionnel de la coiffure saura vous conseiller judicieusement si vous prenez le temps de l'interroger sur le sujet.

Seul son coiffeur le sait!...

Puisque la racine est située sous la surface de la peau dans le follicule capillaire — qui est un repliement de l'épiderme dans le derme —, il est compréhensible que plusieurs facteurs, tels une mauvaise irrigation sanguine de la peau, une dégradation de la qualité du sang, une anémie, une carence alimentaire ou un déséquilibre hormonal puissent altérer non seulement la santé de votre peau, mais aussi celle de votre cheveu.

UN CHEVEU EN PLEINE SANTÉ UN CHEVEU DONT LES CUTICULES SONT ENDOMMAGÉES ET OUVERTES

Un professionnel de la coiffure sera en mesure d'évaluer les propriétés physiques de votre chevelure, c'est-à-dire : sa **texture**, déterminée par l'épaisseur de chaque cheveu, sa **densité**, déterminée par le nombre de cheveux, son **élasticité**, déterminée par sa capacité de se tendre au-delà de sa longueur normale et de reprendre sa longueur initiale, sa **résistance**, déterminée par la force de traction qu'il peut supporter et sa **porosité**, déterminée par sa capacité d'absorption d'humidité. Il pourra, par la suite, vous conseiller judicieusement, que ce soit des produits capillaires ou des traitements spécifiques, pour vous aider à avoir une chevelure éblouissante et en santé.

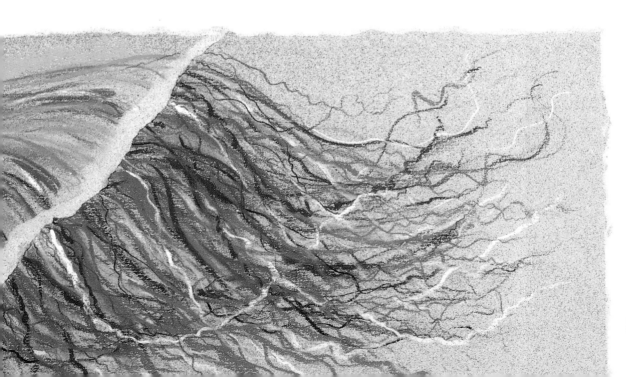

LES COULEURS NATURELLES DES CHEVEUX

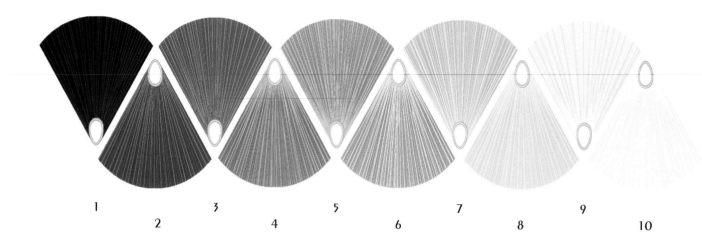

1 2 3 4 5 6 7 8 9 10

Comme nous l'avons vu précédemment, la mélanine détermine la couleur du cheveu. C'est le seul pigment que nous produisons. Il renferme deux composants qui se retrouvent aussi dans la peau. L'un d'eux produit des pigments noirs et châtains, et l'autre, des pigments roux et blonds.

Cela explique pourquoi les individus aux cheveux roux ont tendance à avoir une peau claire avec des taches de rousseur tandis que les individus aux cheveux noirs ont tendance à avoir le teint mat et à bronzer facilement.

L'échelle ci-dessus, graduée de 1 à 10, représente les couleurs naturelles des cheveux sans prédominance de rouge, d'orange ou de jaune. Comparez une mèche de vos cheveux aux couleurs de cette échelle. Le fait de savoir le niveau auquel vous vous situez vous permettra de personnaliser davantage votre maquillage et, éventuellement, de jouer avec les reflets et les couleurs si vous décidez de modifier votre teinte naturelle.

FICHE PERSONNELLE

La couleur naturelle de mes cheveux correspond au numéro : _____

Quel que soit le moment de
la journée, une chevelure
rayonnante en tout temps,
vous assurera beauté,
élégance et bien-être.

LA COLORATION CAPILLAIRE

out comme l'artiste peintre doit avoir une connaissance précise de la réaction qui résulte de l'alliage des couleurs, votre professionnel de la coiffure doit avoir les mêmes connaissances en coloration. Dès que l'on pense aux colorants perma- nents, on imagine tout de suite une large variété de couleurs, offrant de vingt à trente nuances. Mais, en réalité, toutes les teintes dérivent des trois couleurs primaires : le rouge, le bleu et le jaune.

Wella

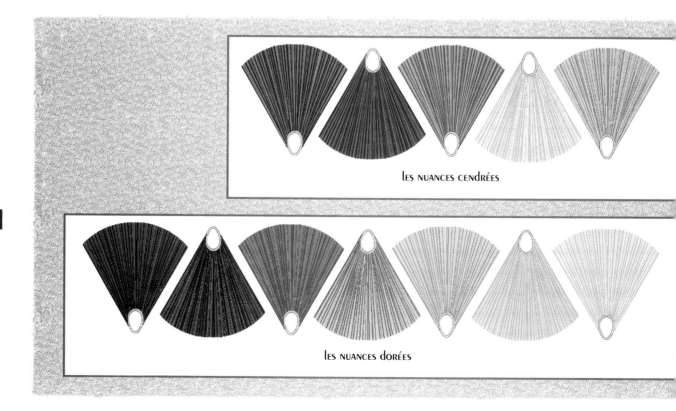

LES NUANCES CENDRÉES

LES NUANCES DORÉES

La gamme des nuances chaudes et froides

Nous avons vu dans le chapitre précédent, qu'il est effectivement possible de créer, à partir des trois couleurs primaires, les couleurs secondaires et, en les mélangeant entre elles, toutes les couleurs intermédiaires possibles.

Le mélange des trois couleurs primaires en quantités égales donne le noir et en quantités inégales, le châtain. Si le rouge domine, on obtient un châtain roux; si c'est le jaune, un châtain clair et si c'est le bleu, un châtain mat.

En observant les nuances de la gamme ci-contre, des teintes chaudes et cuivrées à gauche aux teintes blondes et cendrées à droite, et des tons foncés au centre aux tons plus clairs vers l'extérieur, on remarque qu'il est possible de combiner une infinité de teintes pour créer un nombre illimité de couleurs très personnelles.

NUANCES CHAUDES   NUANCES FROIDES

Dans les colorants capillaires, à partir des trois couleurs primaires, il est possible d'obtenir une infinité de nuances.

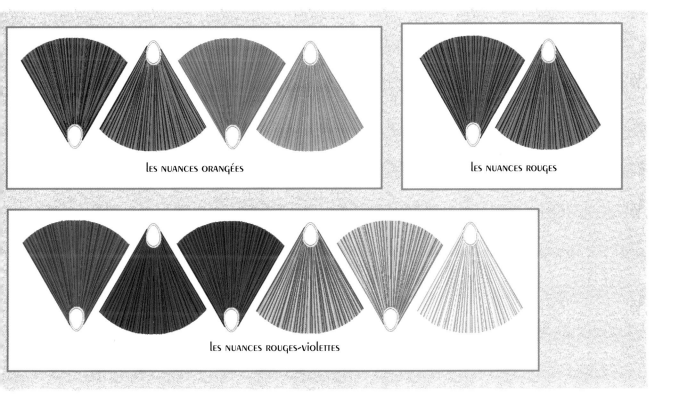

LES NUANCES ORANGÉES

LES NUANCES ROUGES

LES NUANCES ROUGES-VIOLETTES

Selon les résultats que vous désirez obtenir, il existe différentes techniques de coloration capillaire allant du léger balayage à un changement complet de teinte. Chaque technique donne un effet bien particulier.

Jouez avec les couleurs… vous serez surprise du résultat !

Pour créer des effets plus dramatiques dans une chevelure naturelle châtain clair, nous avons utilisé une technique de balayage qui donne de la chaleur et de la luminosité aux cheveux.

Cette chevelure châtain moyen est enrichie de reflets multiples qui diffusent la couleur tout autour du visage. Une application de teintes de feu crée une certaine asymétrie, ravivant le visage et lui donnant de l'éclat.

1
2
3
4
5
6
7
8
9
10

Le blond moyen vient adoucir les traits plutôt anguleux de ce visage.

Une coloration appliquée sur l'ensemble de la chevelure donne de l'éclat. La teinture bourgogne rehausse la chevelure d'un brun moyen terne, fait vibrer le teint et rayonner de vitalité.

L'ajout d'un brillant dramatique à une chevelure châtain clair suffit pour adoucir les traits trop durs. Les reflets cuivrés sont des plus flatteurs.

Le maquillage n'est pas seul à faire ressortir la couleur des yeux. Une nuance plus éclatante appliquée sur la chevelure, au niveau du front et des tempes, saura aussi en rehausser toute la beauté.

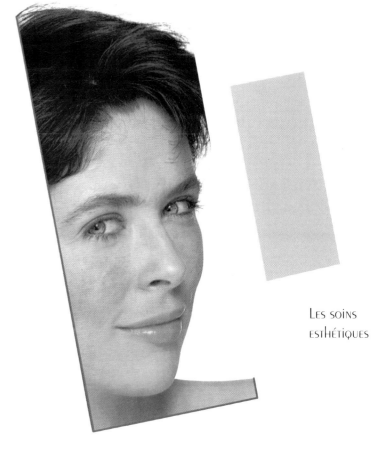

LES SOINS
ESTHÉTIQUES

LES SOINS DES CHEVEUX

Les colorations capillaires et les permanentes sont de plus en plus utilisées de nos jours soit pour conférer une allure plus personnelle, soit pour accentuer et harmoniser la teinte naturelle des cheveux. Mais, pour garder brillance et souplesse, tout cheveu soumis à de tels traitements devra être bien entretenu.

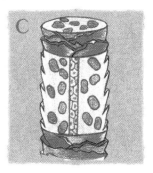

Le schéma A nous permet de voir la couleur naturelle d'un cheveu. Lorsqu'on applique une teinture (schéma B), des petits pigments artificiels pénètrent dans les cuticules ouvertes et teintent les pigments naturels (schéma C).

Les cheveux colorés

Une teinture est toujours plus belle lorsqu'elle est appliquée sur un cheveu sain. Les colorants capillaires viennent ajouter du pigment à vos cheveux, tout en maintenant une certaine harmonie. N'oubliez pas que si vous décidez d'apporter un changement, quel qu'il soit, dans la couleur de vos cheveux, vous devrez modifier les teintes de vos produits de maquillage en conséquence.

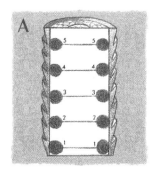

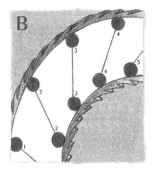

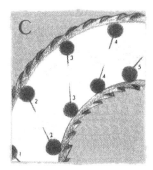

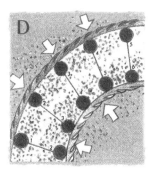

Les cheveux permanentés

De nos jours, les permanentes sont de plus en plus perfectionnées. Il en existe des très douces. Alors, avant de vous en priver parce que vous avez peur qu'elles n'abîment vos cheveux, demandez conseil à votre professionnel de la coiffure. Par la suite, utilisez des produits spécialement conçus pour cheveux permanentés afin de rétablir votre pH et de faire durer votre permanente plus longtemps.

Croquis et photos : Wella

DANS UN CHEVEU, IL EXISTE DES liens comme l'indique si bien le schéma A. Ces liens sont d'abord étirés lorsque le cheveu est enroulé sur un rouleau à permanente (schéma B), brisé sous l'action de la solution à permanente (schéma C) et soudés de nouveau avec l'application d'un neutralisant (schéma D).

Les colorations et les permanentes peuvent détruire l'hydratation et l'équilibre du cheveu. Il est donc important de les rétablir en appliquant un traitement spécialement conçu à cet effet qui non seulement maintiendra couleur et volume mais y ajoutera aussi du brillant. De plus, ce traitement protègera vos cheveux des éléments atmosphériques (pluie acide, soleil, vent, etc.)

UNE PEAU RESPLENDISSANTE, DES CHEVEUX ÉCLATANTS

Un beau maquillage dépend de la texture de la peau, mais aussi de sa propreté et de son éclat. Faut-il encore connaître son type de peau et savoir comment l'entretenir !

Les produits de beauté et les produits capillaires doivent être choisis pour apporter, à la peau et aux cheveux, les éléments qui leur manquent. Habituellement, les produits d'une même ligne ont été conçus pour se compléter et donner, de ce fait, une plus grande satisfaction. Ne vous laissez surtout pas influencer par l'emballage d'un produit, son apparence ou la publicité dont il est entouré.

N'hésitez pas à vous renseigner, à demander conseil aux spécialistes et à user de votre propre jugement. Des résultats s'obtiennent certes avec de bons produits, mais, plus que tout, avec une discipline quotidienne qui vous demandera peu de temps et vous assurera des effets à long terme.

Ci-dessous, produits de beauté Matis; ci-contre, gamme de produits capillaires Wella

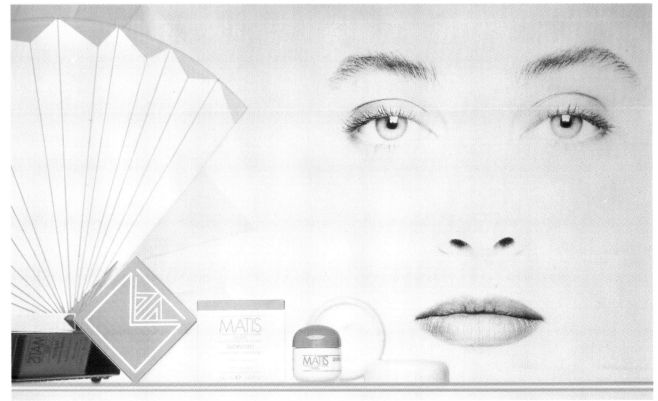

LES PRODUITS NATURELS

Nombre de produits naturels et de vitamines se retrouvent dans les produits de beauté, aussi bien dans les cosmétiques que dans les produits d'entretien capillaires, et ils jouent tous un rôle bien précis.

Les acides aminés et les vitamines

L'acide ascorbique ou **vitamine C**, un anti-oxydant, aide à maintenir l'équilibre du pH, ce dernier étant le coefficient qui caractérise le degré acide ou basique d'un milieu. Une solution acide a un pH inférieur à 7 et une solution basique, un pH supérieur à 7.

L'acide citrique (extrait du citron) sert d'agent de conservation et aide à régulariser et à stabiliser le pH.

L'acide linoléique ou **vitamine F** est un acide gras essentiel qui favorise la souplesse et l'éclat de la peau tout en la protégeant de l'environnement.

L'acide salicylique (extrait de plantes naturelles comme les feuilles de bouleau ou de saule) est utilisé pour prévenir les démangeaisons.

Les **aminoacides** de la soie protègent les cheveux et leur donne de l'éclat.

La **biotine** ou **vitamine H** aide l'action des protéines.

L'inositol ou **vitamine B** prévient la fragilité et rend le cheveu plus résistant.

Le **panthénol** ou **vitamine B-5** donne du corps et prévient la perte d'humidité.

Les huiles essentielles

Cheveux gras : cèdre, citron, lavande, pin.
Cheveux normaux : sauge, thym.
Cheveux secs : géranium, ilang, romarin, serpolet.
Cheveux avec des pellicules : lavande et 5 % de cade.
Peau grasse : benjoin, camomille, carotte, lavande, orange, origan, patchouli.
Peau sèche : benjoin, carotte, citron, genièvre, palmarosa, romarin.

1
2
3
4
5
6
7
8
9
10

Les extraits de plantes naturelles

L'huile d'**amande** hydrate et protège.

L'extrait d'**arnica** améliore l'élasticité de la peau.

L'extrait de **bambou**, un anti-inflammatoire, aide la fonction naturelle de la peau.

La **camomille** adoucit, assouplit et donne de l'éclat aux cheveux.

La **carotte** a une action régénératrice sur les peaux séchées, tannées et brûlées.

Le **géranium** a des propriétés régénératrices.

Le **ilang ilang** est reconnu pour son action équilibrante sur la peau et revitalisante sur les cheveux, la repousse et la recoloration.

La **lavande** est utilisée pour tous les problèmes de peau.

L'extrait de **lierre** est connu pour ses propriétés astringentes et régénératrices.

La **marjolaine** a des propriétés adoucissantes pour les peaux irritées.

Le **marron d'Inde** perméabilise la peau et aide sa fonction naturelle.

L'extrait de **noyer**, aux propriétés astringentes et fortifiantes, est spécialement conseillé pour les cheveux fins.

L'**orange** se retrouve dans les produits de beauté et les crèmes adoucissantes, pour traiter les boutons et les dermatoses.

L'extrait d'**ortie** est un stimulant qui aide à prévenir la déshydratation et rend les cheveux brillants et souples.

La **palmarosa** est connue pour ses propriétés régénératrices et équilibrantes de la peau et des cheveux.

Le **romarin** est souvent utilisé pour les peaux sèches, les pellicules, la chute de cheveux. Il tonifie, adoucit et revitalise les cheveux et le cuir chevelu.

La **sauge** est un astringent utilisé dans les soins de la peau et des cheveux.

La **silice** donne du corps aux cheveux.

L'extrait de **trèfle** améliore l'élasticité.

Peau terne (points noirs et/ou boutons) : géranium, lavande, millepertuis, palmarosa, patchouli, santal.

Rides : carotte, citron, géranium, orange, origan, palmarosa, patchouli, romarin.

Soins de la peau et du visage : benjoin, bergamote, bois de rose, camomille, carotte, cèdre, citron, géranium, lavande, myrrhe, orange, origan, palmarosa, patchouli, romarin, rose, santal.

LUMIÈRE

VISAGES, FORMES ET

VISAGES, FORMES ET LUMIÈRE

Léonard de Vinci, célèbre artiste et savant italien, a établi, dans ses œuvres, les proportions montrant le partage du visage en trois parties égales. Ces proportions qui sont encore utilisées de nos jours en sculpture et en peinture se retrouvent également en maquillage.

« Expliquer l'inconnu par le connu, l'être intérieur par son extériorité ». Léonard de Vinci

La forme d'un visage est créée par l'ossature et par la peau qui la recouvre. Chaque personne devrait connaître la morphologie de son visage, c'est à dire sa forme et celle de chacune des parties qui le composent avant d'entreprendre quoi que ce soit pour améliorer ou modifier son image. Non seulement ce chapitre vous amène à faire une telle analyse, mais il vous explique la base du maquillage et vous dévoile des trucs de métier, faciles à réaliser, qui vous permettront en un temps trois mouvements, de faire disparaître les marques indésirables, d'atténuer certains traits et d'en faire ressortir d'autres pour obtenir, en bout de ligne le visage que vous rêvez tant d'avoir.

De plus, vous serez en mesure de choisir à coup sûr ce qui vous convient, tant au niveau de la coiffure que du maquillage, des lunettes, des chapeaux ou de tout autre accessoire. Il en découlera un mieux-être des plus appréciés.

LES SEPT FORMES DE VISAGE

Les formes de visage se classent d'abord en deux grandes catégories :
les visages allongés et les visages courts. Ensuite, chacune de ces
catégories se subdivise en plusieurs formes géométriques : l'ovale,
le rectangle, le cœur, le triangle, le rond, le carré et le diamant.

À l'aide de l'une des trois méthodes proposées à la page suivante,
déterminez la forme qui correspond le mieux à celle de votre visage
et cochez la case appropriée.

    ## LES VISAGES ALLONGÉS

 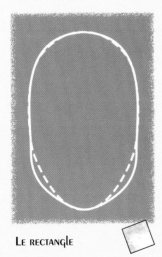 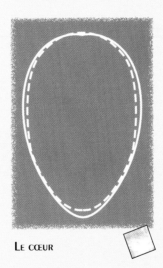 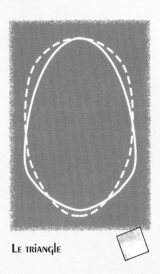

L'ovale
(forme de base)   Le rectangle   Le cœur   Le triangle

 ## LES VISAGES COURTS

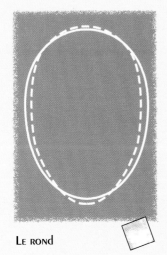 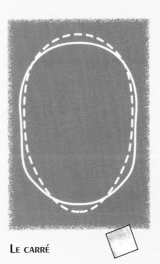 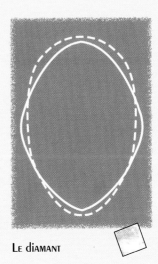

Le rond   Le carré   Le diamant

LA MORPHOLOGIE DE VOTRE VISAGE

*T*rois méthodes s'offrent à vous pour vous aider à déterminer la forme de votre visage.

1re méthode

Il vous faut une règle et un miroir.

Tirez bien vos cheveux vers l'arrière et maintenez-les en place à l'aide d'un bandeau. Procédez ensuite à un démaquillage en profondeur, puis installez-vous devant votre miroir avec la règle.

Placez la règle à la verticale, vis-à-vis le coin externe de votre iris, et observez les points saillants et les points creux de votre visage, plus particulièrement les os des sourcils juste au-dessus des tempes, les os des joues et ceux des maxillaires.

2e méthode

Il vous faut des gros plans en noir et blanc de votre visage vu de face et une règle.

Vous devez, sur les photos, avoir les cheveux tirés vers l'arrière et maintenus en place à l'aide d'un bandeau, et être démaquillée.

Il importe que les photos soient bien nettes, qu'elles soient prises par un photographe professionnel ou non. Faites agrandir vos photos en plusieurs exemplaires à un centre de photocopies. Suivez ensuite la première méthode pour déterminer la forme de votre visage.

3e méthode

Il vous faut un miroir fixé au mur et un marqueur.

Tirez bien vos cheveux vers l'arrière et maintenez-les en place à l'aide d'un bandeau. Procédez à un démaquillage en profondeur, car les effets d'ombres et de lumières obtenus par le maquillage peuvent fausser votre analyse. Installez-vous ensuite devant le miroir, le marqueur à la main, et regardez droit devant vous. Fermez un œil, tendez le bras et tracez le contour de votre visage sur le miroir. Examinez votre croquis, qui sera beaucoup plus petit que la dimension réelle de votre visage, et comparez-le à ceux des sept formes géométriques de visage.

UN PROFIL RÉVÉLATEUR

L'étude d'un visage de profil permet de détailler certaines formes précises (front, nez, menton), autant de caractéristiques importantes à connaître, car elles permettent de jouer avec le maquillage afin de toujours paraître à son avantage.

MARIE CARRIÈRE

LES TROIS ZONES DU VISAGE

Le visage se divise en trois zones : **supérieure**, **médiane** et **inférieure**. Une analyse plus détaillée de chacune d'elles vous permettra, lors du maquillage, de remodeler votre visage pour qu'il soit des plus harmonieux.

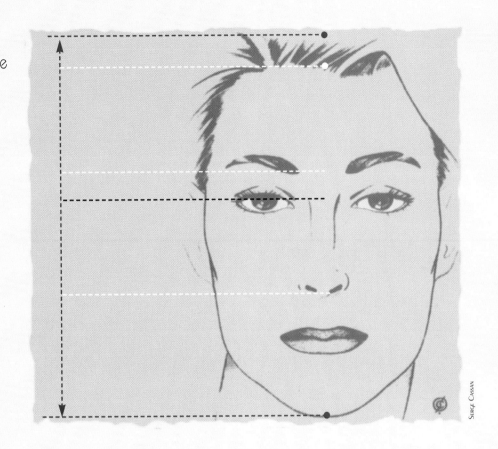

SERGE CASSAN

1re étape

Divisez le visage de haut en bas. Tracez un point sur le sommet de la tête et un autre sur l'extrémité du menton. Mesurez la distance entre les deux points et tracez une ligne horizontale au niveau des yeux. Cette division vous permettra de déterminer la partie la plus longue de votre visage et la partie la plus courte. (En rouge sur le croquis)

2e étape

Tracez un point vis-à-vis la racine des cheveux et observez les zones supérieure, médiane et inférieure du visage.

La **zone supérieure**, également appelée **zone cérébrale**, se situe entre la naissance des cheveux et la naissance des sourcils. Si cette zone est la plus longue des trois, les activités intellectuelles et rationnelles vous intéressent tout particulièrement.

La **zone médiane**, également appelée **zone respiratoire**, se situe entre la naissance des sourcils et la partie inférieure du nez. Si cette zone est la plus haute des trois, vous vous souciez de votre vie sociale et des contacts humains.

La **zone inférieure**, également appelée **zone digestive** ou **physique**, se situe entre la partie inférieure du nez et le contour inférieur du visage. Si cette zone est la plus haute des trois, vous êtes très intuitive.

Lorsque les trois zones sont de même longueur, nous obtenons un visage harmonieux. Il est cependant facile, lorsque les zones sont inégales, de remodeler le visage à l'aide de maquillage. (En blanc sur le croquis)

LES LIGNES DU VISAGE

Bien que la morphologie d'un visage varie d'un individu à l'autre, certaines caractéristiques permettent de l'associer à l'une des sept formes de visages classiques.

Vous remarquerez, en premier lieu, que le visage se compose de lignes courbes, de lignes droites ou de lignes courbes **et** de lignes droites.

Les visages ovale et rond offrent des lignes courbes.

Les visages carré, rectangulaire, triangulaire et en diamant offrent des lignes droites.

Le visage en cœur offre souvent une combinaison de lignes courbes et de lignes droites.

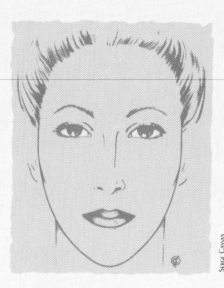

SERGE CASSAN

Le visage de forme ovale est considéré comme un visage parfait. Il se divise en trois zones égales et les joues sont plus larges que le front et que le menton.

Ses principales caractéristiques : les sourcils sont arrondis, les yeux sont grands ou de taille moyenne, le nez aquilin et bien sculpté, les lèvres pulpeuses et bien définies.

Si vous vous identifiez à cette catégorie, vous êtes une femme vénusienne, raffinée, élégante et charmante. Vous avez besoin d'être entourée et comprise.

Le visage de forme rectangulaire est allongé et comporte trois parties presque de même largeur : le front, les joues et le menton.

Ses principales caractéristiques : le front a une forme trapézoïdale et est généralement haut, les yeux sont allongés, les pommettes saillantes, le menton osseux, le nez allongé, les narines rapprochées, les lèvres larges et minces.

Si vous vous identifiez à cette catégorie, vous êtes une femme jupitérienne, au caractère droit et honnête, qui aspire à un échelon élevé dans la société.

Le visage en forme de cœur (triangle inversé) se caractérise par un visage allongé et par l'implantation des cheveux qui s'avancent légèrement en pointe au milieu du front qui est la partie la plus large du visage.

Ses principales caractéristiques : le front est bombé et haut, les sourcils sont légèrement proéminents, les yeux étroits, le nez mince, les lèvres minces aux commissures tombantes.

Si vous vous identifiez à cette catégorie, vous êtes une femme mercurienne au tempérament flamboyant, enjoué et passionné.

Le visage de forme triangulaire est allongé. Le bas du visage est la partie la plus large.

Ses principales caractéristiques : la racine des cheveux forme une ligne droite, le front est bas, les yeux légèrement en amande, les lèvres minces et petites, le nez droit.

Si vous vous identifiez à cette catégorie, vous êtes une femme saturnienne, pouvant être des plus charmantes et des plus agréables lorsque vous le voulez bien, mais aussi des plus imprévisibles.

Le visage de forme carrée ressemble au visage rectangulaire en plus court. Le front, les joues et le menton sont presque de la même largeur.

Ses principales caractéristiques : le front haut ou bas, les sourcils épais, les yeux petits, le nez aquilin, la bouche large, les lèvres et les dents petites, les pommettes saillantes, le menton anguleux.

Si vous vous identifiez à cette catégorie, vous êtes une femme martienne, franche et directe.

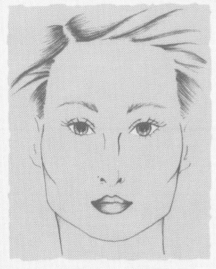

Le visage de forme ronde ressemble au visage ovale en plus court. La partie la plus large se situe au niveau des joues.

Ses principales caractéristiques : l'implantation des cheveux au niveau du front forme une ligne légèrement courbe, les sourcils sont arqués, les yeux ronds, le nez rond et court, la bouche ronde et sensuelle.

Si vous vous identifiez à cette catégorie, vous êtes une femme lunaire et épanouie, de type plutôt flamboyant. Vous aimez le monde et vous êtes bon vivant.

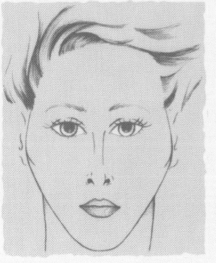

Croquis de Marie Carrière

Le visage en forme de diamant ressemble d'une certaine façon au visage de forme ovale en plus court et en plus anguleux. La partie la plus large se situe au niveau des joues.

Ses principales caractéristiques : le front est étroit et bas, les sourcils droits, les yeux rapprochés, la bouche petite, le nez droit.

Si vous vous identifiez à cette catégorie, vous êtes une femme gentille, aimable et sociable.

LES PARTIES DU VISAGE

Lorsque vous aurez identifié la forme de votre visage, analysez ses différentes parties d'après les croquis qui suivent, cochez les cases qui correspondent le mieux à leur description et reportez vos données sur la fiche personnelle de la page 82.

LE FRONT

Observez-vous de face et de profil dans un miroir ou sur une photo.

Votre front est-il droit, fuyant, bombé, court, haut?

droit

fuyant

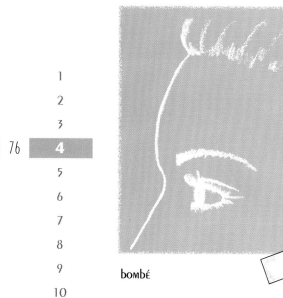

bombé

COURT

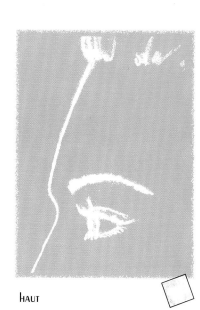

HAUT

1
2
3
4
5
6
7
8
9
10

LA DISTANCE ENTRE LES DEUX YEUX

À l'aide d'une règle, mesurez la largeur d'un de vos yeux, du coin externe au coin interne. Mesurez ensuite la distance entre vos deux yeux. Si cette distance égale la largeur de votre œil, vous avez des yeux bien proportionnés; si elle est plus grande, ils sont écartés et si elle est plus petite, ils sont rapprochés. Cette information sera importante lors du maquillage.

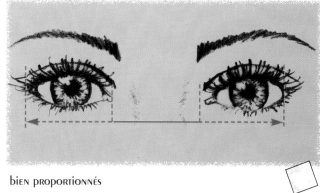

bien proportionnés

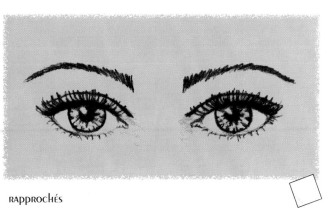

rapprochés

écartés

LES ARCADES SOURCILIÈRES

Calculez la distance entre votre sourcil et le bord de vos cils lorsque vous avez les yeux ouverts. Si cette distance est la même que le diamètre de votre iris, vous avez des arcades sourcilières moyennes; si elle est plus petite, vos arcades sourcilières sont courtes et si elle est plus grande, vos arcades sourcilières sont hautes.

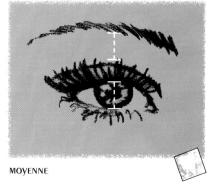

moyenne

courtes

hautes

VISAGES,
FORMES ET
LUMIÈRE

Marie Carrière

 ## LES SOURCILS

Observez-vous de face dans un miroir ou sur une photo. Vos sourcils sont-ils rapprochés, bien proportionnés, écartés?

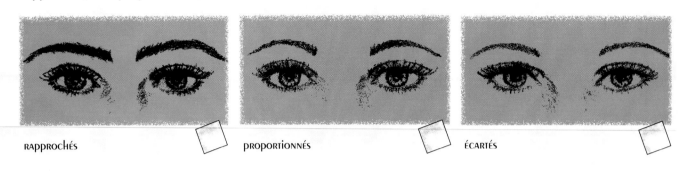

RAPPROCHÉS   PROPORTIONNÉS   ÉCARTÉS

 ## LES YEUX

Observez la forme de vos yeux. Sont-ils droits, creux, ronds, tombants, petits, bridés?

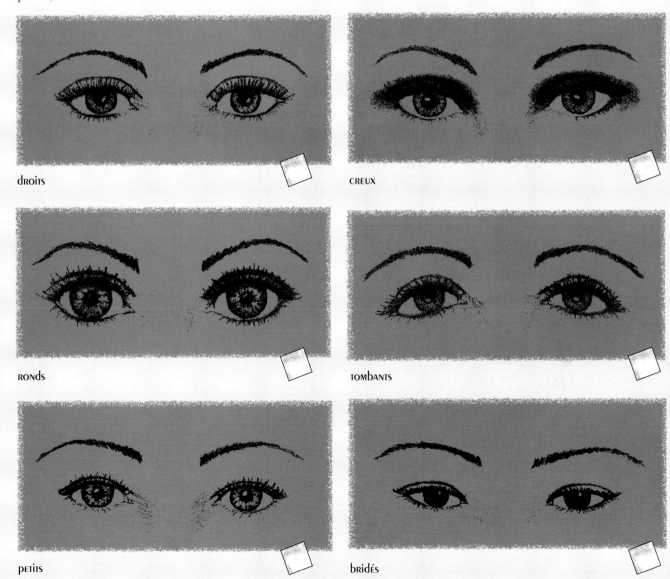

droits   CREUX

RONDS   TOMBANTS

PETITS   bridés

1
2
3
4
5
6
7
8
9
10

LES PAUPIÈRES

Observez vos paupières, ces parties mobiles qui recouvrent et protègent la partie intérieure de vos yeux. Sont-elles courtes, moyennes, hautes?

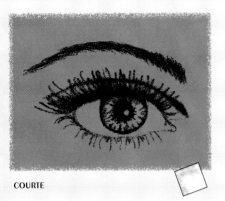

COURTE

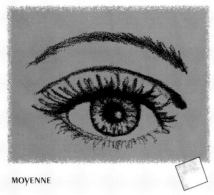

MOYENNE

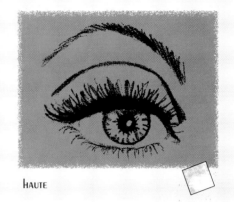

HAUTE

LE NEZ

Observez-vous de face dans un miroir ou sur une photo. Votre nez est-il mince ou large?

MINCE

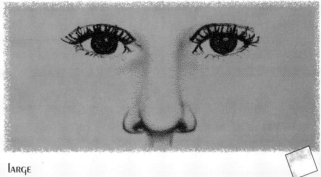

lARGE

Observez-vous de profil dans un miroir ou sur une photo.
Votre nez est-il long, court, retroussé, droit, en bec d'aigle? Est-il bosselé? Non bosselé?

lONG

COURT

RETROUSSÉ

dROIT

EN bEC d'AiglE

bosselé NON bosselé

VISAGES,
fORMES ET
lumIÈRE

MARIE CARRIÈRE

LA BOUCHE

Dans un visage bien proportionné, la distance entre le nez et la lèvre supérieure égale la moitié de la distance entre le bas de la lèvre inférieure et la pointe du menton.

Observez-vous dans un miroir ou sur une photo. Votre bouche est-elle petite, moyenne, grande? Les commissures des lèvres (aux angles de la bouche) sont-elles tombantes?

PETITE

MOYENNE

GRANDE

AUX COMMISSURES TOMBANTES

LES LÈVRES

Dans un visage bien proportionné, les commissures des lèvres se situent vis-à-vis le milieu de la pupille, et les points les plus hauts, vis-à-vis le milieu de chacune des narines.

Observez-vous dans un miroir ou sur une photo. Vos lèvres sont-elles minces, moyennes, épaisses?

1
2
3
4
5
6
7
8
9
10

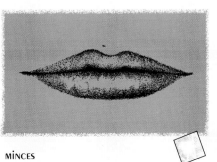

MINCES

MOYENNES

ÉPAISSES

LE MENTON

Observez-vous de face dans un miroir ou sur une photo.
Votre menton est-il étroit et pointu, moyen et rond, large et carré?

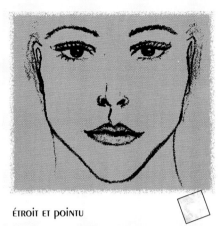

étroit et pointu

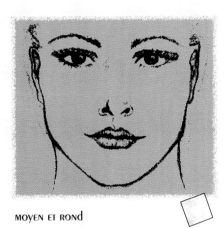

moyen et rond

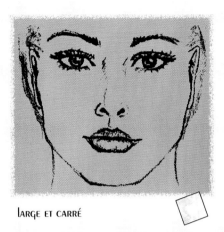

large et carré

Observez-vous ensuite de profil.
Votre menton est-il moyen, long, avancé, fuyant, double?

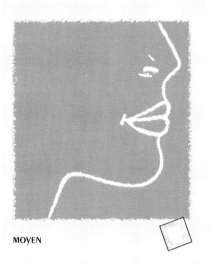

MOYEN

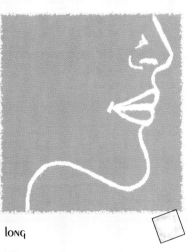

long

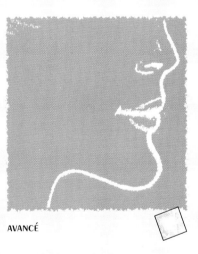

AVANCÉ

fuyant

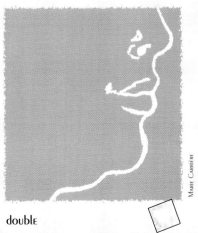

double

81

VISAGES,
FORMES ET
LUMIÈRES

FICHE PERSONNELLE

Les principales caractéristiques de mon visage

J'ai un visage	ovale	☐		J'ai les paupières mobiles	courtes	☐
	rectangulaire	☐			moyennes	☐
	en coeur	☐			hautes	☐
	triangulaire	☐				
	rond	☐		J'ai le nez	mince	☐
	carré	☐			large	☐
	en diamant	☐			long	☐
					court	☐
J'ai le front	droit	☐			retroussé	☐
	fuyant	☐			droit	☐
	bombé	☐			en bec d'aigle	☐
	court	☐			bosselé	☐
	haut	☐			non bosselé	☐
J'ai les yeux	rapprochés	☐		J'ai la bouche	petite	☐
	bien proportionnés	☐			moyenne	☐
	écartés	☐			grande	☐
	droits	☐			aux commissures tombantes	☐
	creux	☐				
	ronds	☐		J'ai les lèvres	minces	☐
	tombants	☐			moyennes	☐
	petits	☐			épaisses	☐
	bridés	☐				
				J'ai le menton	étroit et pointu	☐
J'ai des arcades sourcilières	courtes	☐			moyen et rond	☐
	moyennes	☐			large et carré	☐
	hautes	☐			moyen	☐
					long	☐
J'ai les sourcils	rapprochés	☐			avancé	☐
	bien proportionnés	☐			fuyant	☐
	écartés	☐			double	☐

Si vous désirez modifier ou atténuer certains de vos traits, consultez les techniques de maquillage suggérées aux pages 95 à 103.

1
2
3
4
5
6
7
8
9
10

LE MAQUILLAGE

On trouve sur le marché une telle panoplie d'accessoires pour le maquillage qu'on ne sait plus où donner de la tête. Qu'est-ce qui est indispensable? Que choisir? Quelle en est l'utilité? Certains de ces accessoires sont cependant nécessaires si l'on veut obtenir un maquillage soigné, comme vous pourrez le constater au chapitre 7, en consultant nos plans de maquillage.

Il est impossible d'obtenir un beau maquillage sans avoir un minimum d'outils sous la main.

Les pages qui suivent sauront sûrement vous éclairer judicieusement sur le sujet...

Photographie Michel Bodson inc.

LE RANGEMENT

Il est important de ne pas laisser les produits de maquillage près d'une source de chaleur. Prévoyez un espace de rangement suffisamment grand pour les avoir tous sous la main lorsque vous en aurez besoin.

Lorsque vous sortez, transportez, dans votre sac à main, une petite pochette contenant seulement les produits de maquillage nécessaires aux retouches pendant la journée ou la soirée.

LE MIROIR À MAQUILLAGE

Le miroir à maquillage doit offrir un éclairage de jour ou être entouré d'ampoules de 25 watts. Installez-le dans une pièce aux murs de couleur pâle et prenez le temps qu'il faut pour réaliser un beau maquillage.

LA PINCE À ÉPILER

Il est indispensable d'avoir une bonne pince à épiler. Sa forme demeure une question de goût personnel, mais il importe de vous assurer qu'elle arrache bien le poil et qu'elle ne le coupe pas. Après l'avoir utilisée, nettoyez-la toujours avec de l'alcool à friction.

LE TAILLE CRAYON

Un taille crayon doit toujours avoir une lame bien affilée et être nettoyé régulièrement. Dès que la mine de vos crayons se brise souvent lorsque vous les taillez, vous devez penser à acheter un nouveau taille-crayon.

LES TAMPONS DÉMAQUILLANTS, LES COTON-TIGE ET LES MOUCHOIRS DE PAPIER

Les tampons démaquillants alvéolés ne sont pas seulement doux et ferme, mais ils absorbent beaucoup moins de produits que les boules d'ouate. C'est pourquoi nous vous les recommandons tout spécialement, aussi bien pour le démaquillage que pour le maquillage.

Les coton-tige servent à appliquer le cache-cernes et les crèmes correctrices, à estomper le crayon contour pour les yeux, à nettoyer le coin des yeux et à rectifier, dans certains cas, le maquillage.

Les mouchoirs de papier servent à enlever les excès d'huile, de sueur, de fond de teint et de poudre. Ne frottez jamais votre visage avec un mouchoir de papier. Pressez-le légèrement contre votre peau, cela suffit.

LES ÉPONGES ET LES APPLICATEURS ÉPONGE

Il existe, sur le marché, des éponges de formes différentes pour le maquillage. Nous vous conseillons l'éponge triangulaire, spécialement conçue pour atteindre les endroits les plus difficiles. Sèche ou légèrement humide, elle peut servir à plusieurs fonctions : appliquer le fond de teint, le cache-cernes et les crèmes correctrices, estomper le fard à joues ou à paupières, délimiter le fard à paupières, rectifier les petites imperfections.

L'applicateur éponge est parfois préféré au pinceau pour appliquer, puis estomper les fards à paupières; ce n'est qu'une question de choix personnel.

L'entretien des éponges et des applicateurs éponge

L'éponge tout comme l'applicateur éponge se nettoient très facilement avec une eau légèrement savonneuse. Il suffit ensuite de bien les rincer et de les laisser sécher.

LES PINCEAUX

Le **pinceau à poudre** est le plus gros de tous les pinceaux à maquillage. Il est indispensable.

Le **pinceau pour enlever l'excès de poudre ou de fard** se reconnaît par ses poils qui sont très fins et disposés en éventail.

Le **pinceau contour de l'œil** est un pinceau très fin qui permet de tracer une ligne mince et parfaite. Son extrémité est protégée par un capuchon.

Le **pinceau à paupières** dont le bout est légèrement arrondi s'utilise pour appliquer ou estomper les fards à paupières en poudre.

Le **pinceau à sourcils** a des poils durs, habituellement en fibres synthétiques. Son bout taillé en biseau est spécialement conçu pour redessiner la ligne des sourcils avec de la poudre à sourcils.

La **brosse à cils et à sourcils** sert à brosser les sourcils et à les maintenir en place soit avec du gel coiffant soit avec du fixatif à cheveux. Elle est habituellement combinée avec un peigne qui s'utilise pour séparer les cils après l'application du mascara.

Le **pinceau à lèvres** est ce qu'il y a de mieux pour appliquer un rouge à lèvres. Choisissez un pinceau à lèvres rétractable pour le protéger de la poussière.

Le **pinceau pour le fard à joue en poudre** a un manche plutôt court avec des poils longs et touffus.

Studio Michel Bodson inc.

L'entretien des pinceaux

Nettoyez vos pinceaux avec une eau légèrement savonneuse et, pour les désinfecter, trempez-les dans un peu d'alcool.

UN JEU D'OMBRES ET DE LUMIÈRES

Les ombres et les lumières permettent de créer des impressions de relief, d'adoucir les angles ou encore de donner du volume. En sachant les utiliser judicieusement, vous pourrez remodeler, à votre satisfaction, certaines parties de votre visage.

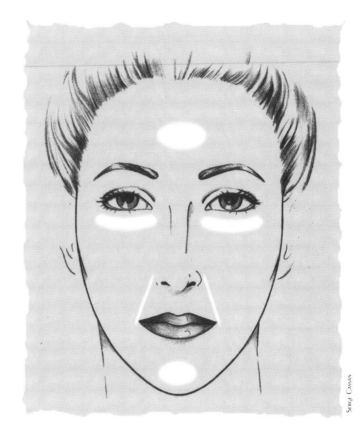

En général, le dessous des yeux, les ailes du nez, les commissures des lèvres et le menton gagnent à être éclairés.

Les **ombres** diminuent les volumes. Elles se créent en appliquant des couleurs plus foncées que celle de votre fond de teint, de votre fard à joues ou de votre fard à paupières. Par exemple, si vous trouvez que votre mâchoire est trop carrée, vous pouvez adoucir les angles en appliquant un fard correcteur plus foncé que votre fond de teint.

La **lumière** augmente les volumes. Elle se crée avec l'application de couleurs plus pâles que celle de votre fond de teint, de votre fard à joues ou de votre fard à paupières. Par exemple, si vous trouvez que vos yeux sont trop rapprochés, vous pouvez remédier à ce léger inconvénient en appliquant une touche de fard correcteur plus pâle entre vos yeux.

La lumière donne du relief. Un front trop étroit ou fuyant prendra du volume avec l'application d'une touche de lumière (fond de teint plus pâle) juste au milieu. Les rides, les sillons et les vallées s'estomperont en appliquant, avec un pinceau très fin, un peu de cache-cernes au creux de la ride. En général, le dessous des yeux, les ailes du nez, les commissures des lèvres et le menton gagnent à être éclairés.

Prenez le temps d'étudier toutes les parties de votre visage avant de passer aux étapes du maquillage.

1
2
3
5
6
7
8
9
10

LES TECHNIQUES DE MAQUILLAGE

Qui n'a pas une petite tache par ci, une rougeur par là, les yeux cernés de fatigue, un bouton indésirable? Que ne donneriez-vous pas pour faire disparaître tous ces petits tracas et redonner, à votre visage, « l'éclat de ses 20 ans »? Il en faut peu pour obtenir un tel résultat !

PREMIÈRE ÉTAPE

Estomper les légères imperfections

Il existe, sur le marché, des crèmes correctrices vertes, roses ou jaunes. Ces crèmes vous aideront à faire des miracles si vous les utilisez judicieusement.

Il s'agit, en premier lieu, d'identifier la teinte des imperfections, taches ou ombres que vous désirez camoufler en vous servant de la roue de couleurs de la page 28.

Ensuite, cherchez sur cette même roue des couleurs, les teintes opposées à celles de vos imperfections. Par exemple, sur la roue des couleurs, le rouge est opposé au vert et la jaune, au violet.

En règle générale :

la crème correctrice verte sert à camoufler les boutons, les taches pigmentaires rouges ou brunâtres dues à une grossesse, au vieillissement ou au soleil, les taches de naissance, la couperose et les petites veines rouges apparentes.

La crème correctrice jaune sert à camoufler les cernes bleutés ou les zones grises, surtout autour de la bouche.

La crème correctrice rose sert à camoufler les décolorations olivâtres et les endroits où le teint est plus terne.

Vous pouvez appliquer une même crème correctrice ou des crèmes de différentes couleurs. Cela dépend tout simplement des corrections que vous désirez apporter. Par exemple, pour camoufler des cernes bleutés, des paupières rougeâtres et un tour de bouche olivâtre, vous aurez besoin de la crème jaune pour les cernes, de la crème verte pour les paupières et de la crème rose pour le tour de la bouche. Toutes ces crèmes doivent d'abord être appliquées à l'aide d'un coton-tige, puis estompées.

Matis

Deuxieme étape

Camoufler les cernes et les rides

Le cache-cernes, habituellement plus pâle que le fond de teint, sert à éclairer le visage et à atténuer les rides.

Pour masquer les cernes, appliquez le cache-cernes sous les yeux, avec votre doigt, puis estompez-le légèrement en utilisant la partie pointue d'une éponge triangulaire.

Pour masquer les rides, appliquez le cache-cernes dans le creux de chaque ride à l'aide d'un pinceau très fin, et faites-le pénétrer à l'aide de votre éponge.

Vous pouvez aussi appliquer le cache-cernes sur les ailes du nez, sur les lignes qui partent du nez et qui se dirigent vers la bouche, aux commissures des lèvres et au creux du menton.

Troisième étape

Le fond de teint

Il y a quelques années, le fond de teint s'appliquait en une couche épaisse et unie sur le visage et sur le cou, pour se fondre presque à la naissance des seins. Aujourd'hui, il ne sert plus à camoufler les imperfections, mais plutôt à colorer uniformément la peau et à la préparer à recevoir le maquillage, et il se limite au visage seulement.

Le choix d'un fond de teint

Il n'est pas facile de choisir une couleur de fond de teint parmi tous les produits qui s'offrent à nous sur le marché. On le retrouve sous différentes formes : liquide (à base d'huile et d'eau ou juste à base d'eau), gel coloré, crème, bâton et pain.

Il ne faut pas oublier que le fond de teint doit être le plus naturel possible. Pour choisir la teinte qui vous convient, appliquez-en une goutte sur votre mâchoire à l'aide d'un coton-tige, puis estompez-le à l'aide d'une éponge ou de votre doigt. La couleur doit vraiment se fondre à celle de votre peau pour donner un air naturel et un teint mat. De nos jours, le fond de teint se fait plus léger et permet à la peau de respirer.

L'achat d'un fond de teint...

N'oubliez pas qu'un fond de teint paraît toujours plus foncé dans la bouteille, d'où l'importance de toujours l'essayer avant de l'acheter. Vérifiez-en la composition; assurez-vous qu'il soit de bonne qualité.

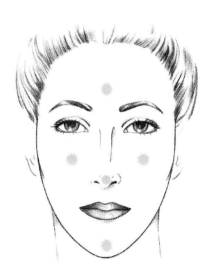

L'application du fond de teint

Sur une peau bien hydratée, à l'aide d'un coton-tige, appliquez le fond de teint en cinq points : le front, les joues, le nez et le menton.

Puis, à l'aide d'une éponge triangulaire sèche ou humide, étalez le fond de teint vers le bas et dans le sens de la pousse des poils.

Si vous désirez modifier certaines parties de votre visage, consultez les conseils que nous vous donnons pour retoucher le front, le nez, la bouche et le menton, dans les pages suivantes.

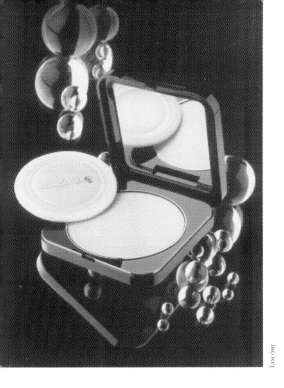

QUATRIÈME ÉTAPE
La poudre

La poudre existe sous différentes formes : poudre folle, poudre pigmentée de la même couleur que le fond de teint, poudre brillante pour les soirées, poudre pressée, et sous différents tons, de pâles à foncés. C'est du reste la poudre pâle, que nos grands-mères appelaient « poudre de riz » qui demeure la plus populaire.

Appliquez la poudre à plusieurs reprises lors d'une séance de maquillage, par exemple après l'application du cache-cernes. Son rôle est de fixer le maquillage et de donner un beau fini à la peau. Elle s'applique sur tout le visage à l'aide d'un gros pinceau, avec des mouvements vers le bas. La poudre pâle sera utilisée pour éclairer et la poudre foncée, pour atténuer ou créer des reliefs.

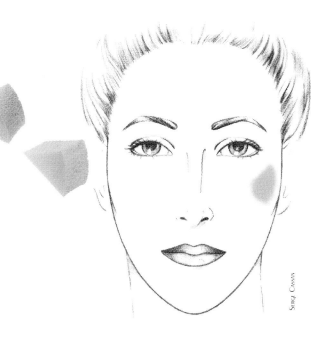

CINQUIÈME ÉTAPE
Le fard à joues

Appliquez le fard à joues sur la partie la plus saillante de l'os de la joue, puis estompez avec le bout arrondi d'une éponge triangulaire.

SIXIÈME ÉTAPE
Le maquillage des yeux

Appliquez un fard à paupières pâle qui s'apparente à la couleur de votre peau sur la paupière et sur l'arcade sourcilière, des cils aux sourcils.

Appliquez une couleur moyenne sur toute la paupière mobile.

Appliquez une couleur plus foncée sur le pli, en élargissant vers l'extérieur.

Pour connaître les teintes qui vous vont le mieux, consultez les pages 90 et 91.

Visages, formes et lumière

Les couleurs de fard à paupières

Choisissez, comme couleur de base, une nuance pâle qui se rapproche de la couleur de votre peau ou référez-vous au tableau suivant :

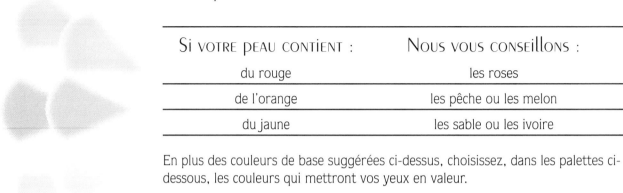

Si votre peau contient :	Nous vous conseillons :
du rouge	les roses
de l'orange	les pêche ou les melon
du jaune	les sable ou les ivoire

En plus des couleurs de base suggérées ci-dessus, choisissez, dans les palettes ci-dessous, les couleurs qui mettront vos yeux en valeur.

Les couleurs adjacentes à la couleur complémentaire de vos yeux sont aussi des teintes qui vous iront à merveille. Référez-vous à la roue des couleurs de la page 28 pour déterminer ces teintes.

Basez-vous sur la couleur de vos yeux ou sur la teinte la plus foncée de vos fards à paupières pour choisir votre crayon.

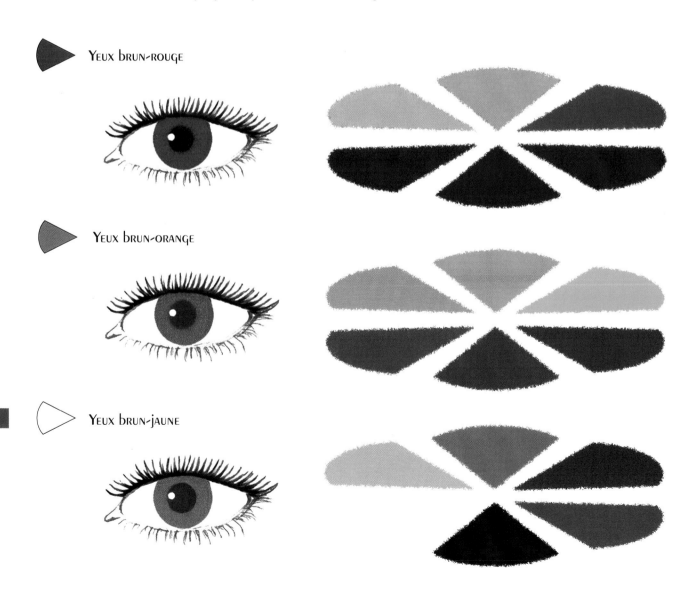

Yeux brun-rouge

Yeux brun-orange

Yeux brun-jaune

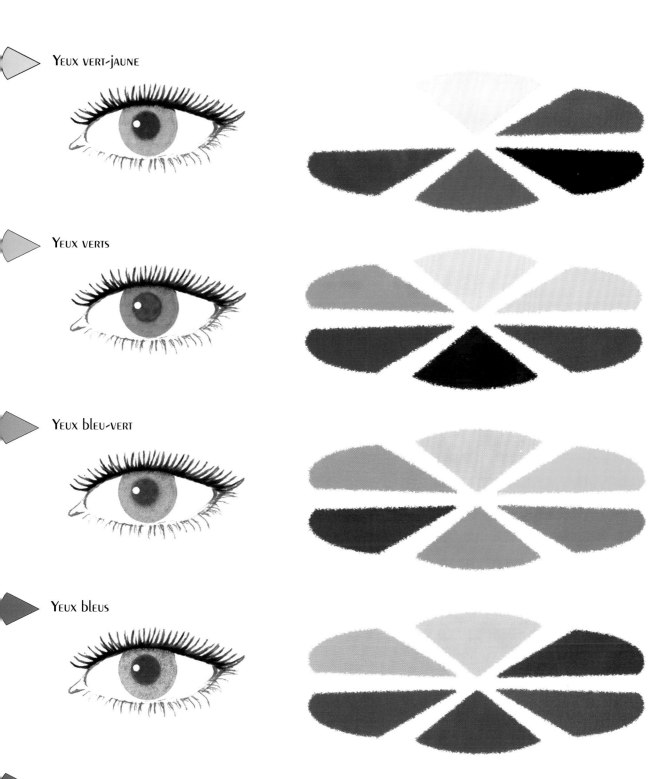

YEUX VERT-JAUNE

YEUX VERTS

YEUX BLEU-VERT

YEUX BLEUS

YEUX GRIS

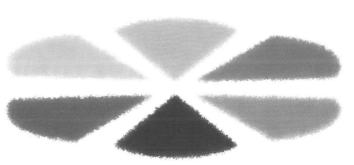

91

VISAGES,
FORMES ET
LUMIÈRE

Septième étape
Le tracé des sourcils

La ligne des sourcils est fondamentale dans la réalisation d'un beau maquillage. Il s'agit, en premier lieu, de déterminer le point de départ du sourcil, son arc et son point d'arrêt.

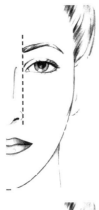

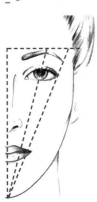

Sur une photo que vous aurez fait agrandir au préalable, tracez une ligne verticale, de la narine au sourcil pour en connaître le point de départ désiré.

Pour découvrir l'arc du sourcil ou son point le plus haut, tracez un trait vertical au milieu de votre visage pour le séparer en deux parties égales. Placez votre règle diagonalement, du centre de votre menton en haut de votre iris. Marquez un point au crayon pour indiquer le point le plus haut que devrait avoir l'arc de votre sourcil. Comparez ensuite avec votre arc de sourcil réel pour voir s'il y a lieu d'apporter des modifications.

Placez ensuite votre règle diagonalement, du centre de votre menton au coin externe de votre œil. Cela vous indiquera l'endroit où devrait s'arrêter votre ligne de sourcil.

Après avoir décidé de la forme que vous aimeriez donner à vos sourcils, il ne vous restera plus qu'à les épiler et/ou à les redessiner avec le crayon et la poudre à sourcils. Pour ce faire, tracez de légers traits avec le crayon à sourcil, puis appliquez une poudre de la même couleur que vos sourcils ou que vos cheveux. Évitez de tracer des lignes continues.

Huitième étape
L'application du mascara

Vous trouverez, sur le marché, différentes sortes de mascara : du mascara de teinte neutre (noir, brun, bleu marine, gris); du mascara incolore et du mascara de couleur (vert, violet) qu'il est recommandé d'agencer avec la couleur des yeux. Le mascara sert habituellement à épaissir et à traiter les cils, et à accentuer le regard.

Neuvième étape
Le dessin de la ligne des lèvres et l'application du rouge à lèvres

Pour que votre rouge à lèvres tienne bien, appliquez tout d'abord du fond de teint ou du cache-cernes sur vos lèvres, puis de la poudre translucide.

Votre crayon à lèvres doit être bien taillé et agencé à votre rouge à lèvres. Il s'applique par petits traits; jamais en une ligne continue !

La lèvre supérieure

Faites un point sur votre lèvre, vis-à-vis de votre cloison nasale et deux autres points sur la partie la plus haute de la lèvre située de chaque côté de la cloison nasale. Réunissez ensuite le point 2 au point 1 et le point 1 au point 3, comme l'indique notre croquis. Des points 2 et 3, rejoignez les commissures des lèvres.

La lèvre inférieure

Tracez deux points sur votre lèvre inférieure, vis-à-vis des points 2 et 3. Réunissez ces deux points par un trait au crayon, puis reliez-les aux commissures des lèvres.

Terminez par votre rouge à lèvres que vous appliquerez au pinceau. N'oubliez pas que sa couleur devrait s'harmoniser avec celles de votre fard à joues et de votre vernis à ongles.

1
2
3

5
6
7
8
9
10

PERSONNALISEZ VOTRE MAQUILLAGE

Votre trousse à maquillage devrait contenir une gamme de produits choisis parmi l'harmonie de couleurs qui vous convient le mieux (voir le chapitre des couleurs). Par exemple, si votre harmonie répond mieux aux tons chauds (dorés), toute votre gamme de maquillage sera choisie dans ces tons. Si, au contraire, votre harmonie répond mieux aux tons froids (bleutés), toute votre gamme de maquillage sera choisie dans ces tons. Seuls vos produits de maquillage pour les yeux devraient être choisis d'après la couleur de vos yeux.

Choisissez la couleur de vos produits de maquillage (rouge à lèvres, crayons contour, fard à joues, vernis, etc.) d'après les nuances correspondant à votre groupe de couleurs.

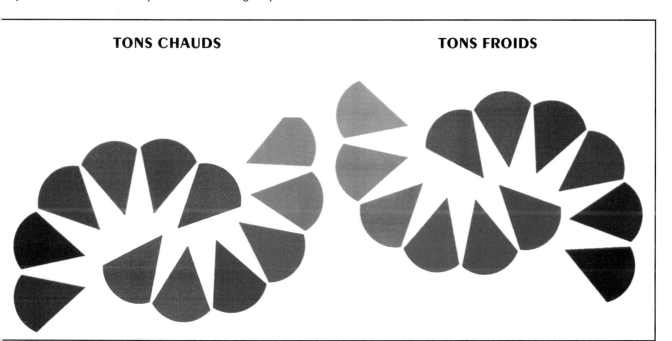

TONS CHAUDS **TONS FROIDS**

93

VISAGES,
FORMES ET
LUMIÈRE

FICHE PERSONNELLE

Mon visage est de forme : _____

Voici les principaux points que j'aimerais améliorer :

Atténuer à l'aide de teintes foncées	Rehausser à l'aide de teintes claires
_____	_____
_____	_____
_____	_____
_____	_____
_____	_____
_____	_____

Les produits de beauté nécessaires :

Crèmes correctrices de couleur (rose, verte, jaune) _____

Fond de teint de la couleur de ma peau : _____

Cache-cernes plus pâle que mon fond de teint ou que ma peau : _____

Poudre pâle pour élargir ou accentuer : _____

Poudre foncée pour rétrécir, creuser, diminuer : _____

Trois fards à paupières   pâle : _____

                             moyen : _____

                             foncé : _____

Crayon contour : _____

Fard à joues : _____

Poudre à sourcils : _____

Crayon à sourcils : _____

Mascara : _____

Crayon à lèvres : _____

Rouge à lèvres : _____

Vernis à ongles : _____

OMBRES ET LUMIÈRE

Vous vous êtes observée de près... Peut-être avez-vous noté certains traits que vous aimeriez modifier ou améliorer? Les pages qui suivent vous dévoileront des trucs du métier qui vous permettront d'obtenir les résultats souhaités.

    LE FRONT

Vous avez trouvé votre front suffisamment droit. Merveilleux ! Vous n'aurez sans doute aucune modification à y apporter.

Par contre, le front ...

...fuyant

paraîtra plus droit en appliquant dessus une teinte plus pâle que celle du fond de teint utilisé, et en l'estompant.

...bombé

paraîtra moins arrondi en appliquant dessus une teinte plus foncée que celle du fond de teint utilisé, et en l'estompant.

...court

gagnera en hauteur en appliquant, sur un front bien dégagé, en lignes verticales, une teinte plus pâle que celle du fond de teint utilisé, et en l'estompant. Habituellement, la frange n'avantage pas la personne qui a un front court.

...haut

perdra en hauteur en appliquant dessus, en lignes horizontales, une teinte plus foncée que celle du fond de teint utilisé, et en l'estompant. Une personne qui a un front haut porte habituellement très bien la frange.

MARIE CARRIÈRE

95

VISAGES, FORMES ET LUMIÈRE

LA DISTANCE ENTRE LES DEUX YEUX

LES YEUX RAPPROCHÉS

Il s'agit de créer un effet d'éloignement pour faire paraître les yeux plus équilibrés. Un fard à paupières foncé sera donc appliqué vers l'extérieur de l'œil, en forme de triangle, pour le soulever. Soulignez ensuite le coin externe de l'œil à l'aide d'un crayon contour et appliquez une couche de mascara plus épaisse vers le coin externe.

LES YEUX ÉCARTÉS

Il s'agit de créer un effet de rapprochement. Pour ce faire, appliquez un fard à paupières foncé vers l'intérieur de l'œil. Soulignez ensuite l'œil à l'aide d'un crayon contour, en estompant l'intensité vers l'extérieur à l'aide d'un coton-tige et appliquez une couche de mascara plus épaisse vers le coin intérieur.

LES ARCADES SOURCILIÈRES

COURTES

peuvent paraître plus grandes en appliquant une teinte pâle sur toute leur surface et en soulignant seulement les cils d'un trait de crayon d'une couleur plus foncée.

HAUTES

peuvent paraître plus courtes en appliquant une teinte moyenne à foncée au milieu et au-dessus du pli.

    # LES SOURCILS

RAPPROCHÉS

Les sourcils trop rapprochés devraient être épilés. En vous basant sur le croquis des sourcils bien proportionnés, épilez tous les poils situés à l'intérieur du point de départ. S'il s'agit d'une première épilation, vous pouvez avoir recours aux services d'une professionnelle qui saura vous tracer une ligne de sourcil selon votre physionomie et vous conseiller judicieusement.

Celles qui ont des sourcils rebelles peuvent les fixer à l'aide d'un gel.

ÉCARTÉS

Rapprochez les sourcils trop éloignés en utilisant un crayon à sourcils et de la poudre de la même couleur que vos sourcils, et en vous basant sur le croquis des sourcils bien proportionnés pour tracer vos lignes.

Si vous trouvez que vos sourcils sont peu fournis ou clairsemés, vous pouvez les épaissir à l'aide d'une poudre et d'un crayon spécialement conçus à cet effet.

   # LES PAUPIÈRES

COURTES

paraîtront plus hautes avec l'application d'une teinte pâle sur toute la paupière mobile, et au-dessus du pli.

HAUTES

paraîtront plus courtes avec l'application d'une teinte plus foncée sur et sous le pli.

Marie Carrière

LES YEUX

droits

Il s'agit de créer un effet de profondeur. Pour ce faire, appliquez la couleur de base pâle des cils aux sourcils, et la couleur foncée horizontalement pour créer l'illusion d'un pli au milieu. Soulignez les cils supérieurs et inférieurs en appuyant davantage sur votre crayon vers les coins externes des yeux. Pour terminer, appliquez du mascara.

CREUX

Il s'agit de faire ressortir la paupière mobile. Pour ce faire, appliquez d'abord la couleur de base pâle des cils aux sourcils. Appliquez ensuite la couleur foncée juste en haut du pli et une couleur pâle sur la paupière mobile. Soulignez d'un trait fin la paupière, le long des cils supérieurs, et terminez par une généreuse couche de mascara.

RONds

Il s'agit de faire paraître l'œil plus allongé. Pour ce faire, appliquez la couleur de base pâle des cils aux sourcils. Appliquez ensuite la couleur foncée légèrement en-dessous du pli. Allongez l'œil en prolongeant la couleur foncée au-delà du coin externe. Soulignez les cils supérieurs sur toute leur longueur, en élargissant le trait vers les coins externes de l'œil. Soulignez les cils inférieurs sur toute leur longueur. Terminez par une généreuse couche de mascara, surtout vers les coins externes.

TOMBANTS

Il s'agit de remonter le coin externe de l'œil. Pour ce faire, appliquez la couleur de base pâle des cils aux sourcils, la couleur moyenne en diagonale, en partant du coin interne de l'iris jusqu'au coin externe de l'œil, et la couleur foncée en diagonale vers le coin externe de l'œil pour couper la partie tombante. Soulignez les cils supérieurs sur toute la longueur en remontant vers le coin externe de l'œil, et les cils inférieurs de la même façon, en suivant le même mouvement vers l'extérieur. Pour terminer, appliquez le mascara sur les cils sans toutefois accentuer les coins externes de l'œil.

petits ou bridés

Il s'agit de faire paraître l'œil plus grand. Pour ce faire, appliquez la couleur de base pâle des cils aux sourcils. Créez ensuite l'illusion d'un pli en appliquant une couleur foncée du coin interne de l'œil jusqu'au coin externe. Appliquez ensuite la couleur moyenne en diagonale, vers le coin externe de l'œil. Soulignez juste le coin externe de l'œil à l'aide d'un crayon contour et terminez en appliquant généreusement votre mascara surtout vers les coins externes.

LE NEZ

Vous avez observé votre nez de face et de profil. S'il est droit et proportionné, il vous plaît sûrement tel qu'il est; sinon, vous aimeriez peut-être..

qu'il soit moins mince !

Appliquez une teinte plus pâle sur les ailes du nez.

qu'il soit moins large !

Appliquez une teinte plus foncée au milieu du nez et estompez-la.

qu'il soit moins long !

Appliquez une teinte plus foncée sur le bout du nez.

qu'il soit plus long !

Appliquez une teinte plus pâle sur le bout du nez.

qu'il ne soit pas retroussé !

Appliquez une teinte plus foncée sur la partie retroussée du nez.

qu'il ne soit pas en bec d'aigle !

Appliquez une teinte plus foncée sur le bout du nez et sur les ailes, surtout sur la partie entourant les narines.

qu'il n'y ait pas cette bosse au milieu !

Appliquez une teinte plus foncée sur la bosse, puis estompez.

MARIE CARRIÈRE

99

VISAGES,
FORMES ET
LUMIÈRE

LA BOUCHE

Chaque jour, en vous regardant dans le miroir, vous vous dites que si vous aviez une bouche plus petite ou peut-être à peine plus grande... Eh bien, il ne suffit que de quelques coups de crayon et le tour est joué !

VOTRE bouche est trop petite...

À l'aide d'un crayon à lèvres, tracez-en le contour légèrement à l'extérieur de la ligne naturelle de vos lèvres.

VOTRE bouche est trop grande...

À l'aide d'un crayon à lèvres, tracez-en le contour un peu à l'intérieur de la ligne naturelle de vos lèvres. Une petite touche de cache-cernes aux commissures des lèvres fera aussi paraître votre bouche plus petite.

VOTRE bouche est tombante...

Fini cet air triste que vous renvoie votre miroir ! À l'aide d'un crayon à lèvres, remontez légèrement les coins de votre bouche.

    # LES LÈVRES

Les vedettes de cinéma vous fascinent avec leurs lèvres pulpeuses, sensuelles, merveilleuses... Vous aimeriez bien leur ressembler, mais...

100   **4**

VOS lèvres sont trop minces...

Appliquez le crayon contour à l'extérieur de la ligne naturelle des lèvres. Les teintes givrées et lustrées, de pâles à moyennes, ajouteront du volume.

VOS lèvres sont trop épaisses...

Appliquez le crayon contour à l'intérieur de la ligne naturelle des lèvres. Choisissez une teinte mate et moyenne.

1
2
3
4
5
6
7
8
9
10

 # Le menton

Après avoir étudié chacune des parties de votre visage, il ne reste plus que votre menton... Vous plaît-il tel qu'il est? Vous le préféreriez peut-être...

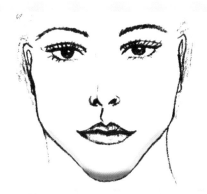

... moins mince et moins pointu !

Afin de l'élargir légèrement, appliquez une teinte plus pâle que celle de votre fond de teint de chaque côté de votre menton, et une teinte plus foncée sur la pointe de votre menton, puis estompez.

... moins large et moins carré !

Appliquez une teinte plus foncée que celle de votre fond de teint de chaque côté de votre menton afin de l'amincir légèrement, puis estompez.

... moins long et moins avancé !

Appliquez une teinte plus foncée que celle de votre fond de teint sur la partie trop avancée, puis estompez.

... moins fuyant !

Appliquez une teinte plus pâle que celle de votre fond de teint sur toute la surface du menton, puis estompez.

... mieux dessiné !

Appliquez une teinte plus foncée sur votre double menton, puis estompez légèrement.

Marie Carrière

 101

Visages, formes et lumière

LES FORMES DE VISAGE

Pour chaque forme de visage, il existe une façon d'appliquer le fard à joues.

Si vous avez un visage ovale, il suffit de l'appliquer sur la partie la plus saillante de la joue, puis de l'estomper, comme vous pouvez le voir à la page 89. Sinon, vous trouverez sûrement la technique qui convient à la forme de votre visage dans les pages qui suivent.

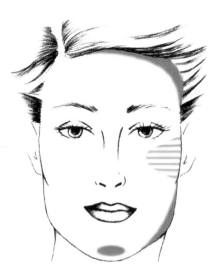

Si vous avez un visage de forme rectangulaire,

vous pouvez l'élargir en appliquant un fard à joues en lignes horizontales, de l'os de la joue vers le centre de l'oreille. Ajoutez une légère touche d'une teinte plus foncée sur le front, en suivant la ligne des cheveux jusqu'aux sourcils.

Vous pouvez amincir votre mâchoire en appliquant une touche d'une teinte plus foncée vers les côtés du visage et de la mâchoire, et sur le menton.

Si vous avez un visage en forme de cœur,

vous pouvez réduire la largeur de votre front en appliquant une teinte plus foncée de chaque côté du front. Vous devrez, de ce fait, élargir le bas de votre visage en appliquant une teinte plus pâle de chaque côté de votre mâchoire en descendant vers votre menton. Terminez en appliquant un fard à joues en touches horizontales, de l'os de la joue vers le haut de l'oreille.

Si vous avez un visage de forme triangulaire,

vous pouvez élargir le front en appliquant une teinte pâle sur les côtés, et donner l'impression d'avoir le bas du visage plus étroit en appliquant une teinte foncée sur la mâchoire. Le fard à joues sera alors appliqué en diagonale, de l'os de la joue vers la tempe.

Si vous avez le visage de forme carrée,

appliquez le fard à joues au milieu de la joue et estompez-le vers les oreilles. Appliquez ensuite une teinte plus foncée sur votre mâchoire pour en adoucir les traits, et une touche de fard à joues sur le menton pour l'amincir.

Vous pouvez arrondir votre front en appliquant une teinte plus foncée à la racine des cheveux.

Si vous avez un visage de forme ronde,

appliquez votre fard à joues à angle droit, en formant un V qui part du coin externe de l'œil et qui remonte vers la racine des cheveux. Appliquez aussi une teinte foncée sur le côté des joues.

Si vous avez un visage en forme de diamant,

appliquez une teinte pâle sur les côtés du front et sur la ligne de la mâchoire pour les élargir. Appliquez ensuite le fard à joues en petites touches, de l'os de la joue vers la tempe.

Pour équilibrer votre visage, ajoutez une touche de fard à joues sur le menton.

103

VISAGES,
FORMES ET
LUMIÈRE

L'ÉQUILIBRE ESTHÉTIQUE

Maintenant que vous connaissez votre forme de visage et ses caractéristiques, vous possédez un outil précieux qui vous permettra d'atteindre un équilibre esthétique dans les choix que vous poserez, aussi bien pour vos chapeaux que pour vos lunettes et vos bijoux. L'encadrement de la forme du visage vous aidera à mieux comprendre les proportions.

Le visage ovale

Cherchez à maintenir l'équilibre naturel. Un choix varié de lunettes, de bijoux et de chapeaux s'offre à vous.

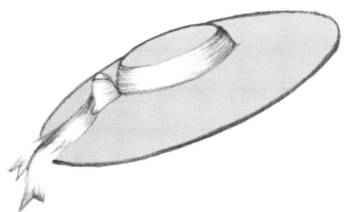

Le visage rectangulaire

Ajoutez de la largeur au niveau des joues. N'ajoutez pas de hauteur et évitez les formes carrées et trop anguleuses.

Le visage en cœur

Ajoutez de la largeur au niveau du menton. N'ajoutez pas de hauteur.

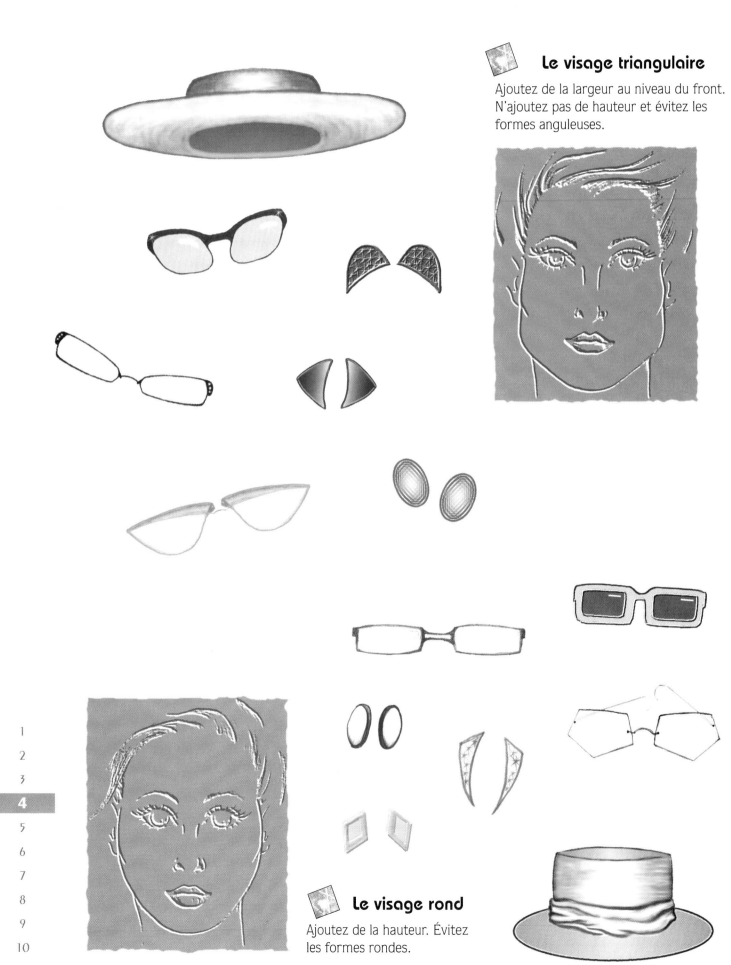

Le visage triangulaire

Ajoutez de la largeur au niveau du front. N'ajoutez pas de hauteur et évitez les formes anguleuses.

Le visage rond

Ajoutez de la hauteur. Évitez les formes rondes.

Le visage carré

Ajoutez de la hauteur.
Favorisez les formes courbes.

Le visage en diamant

Ajoutez de la hauteur. Privilégiez
les formes arrondies ou
allongées.

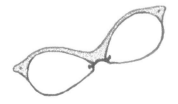

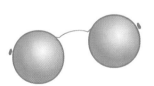

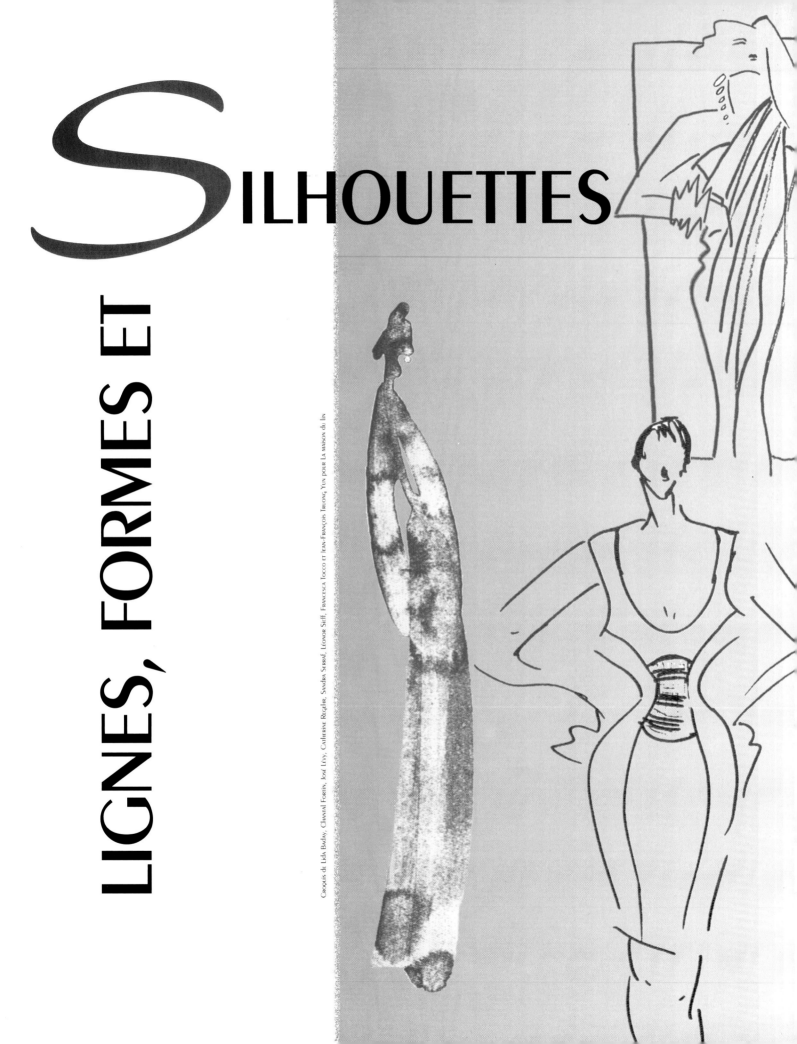

SILHOUETTES

LIGNES, FORMES ET

Croquis de Lida Baday, Chantal Fortin, José Lévy, Catherine Regehr, Sandra Serraf, Léonor Siefl, Francesca Iocco et Jean-François Truong, Yun pour La maison du lin

LIGNES, FORMES ET SILHOUETTES

La forme d'un corps est déterminée par l'ossature, la musculature et la répartition de corps gras. Même si les mensurations changent habituellement au cours de la vie, l'ossature, elle, demeure toujours la même.

Bien peu de gens prennent le temps d'étudier vraiment la forme de leur corps. C'est pourtant, comme vous pourrez le constater dans ce chapitre, quelque chose d'essentiel à connaître quand vient le temps de compléter ou de renouveler sa garde-robe.

Bien se connaître, c'est en premier lieu connaître sa taille. Si vous devez vous mesurer, assurez-vous de le faire pieds nus et de tenir votre tête bien droite.

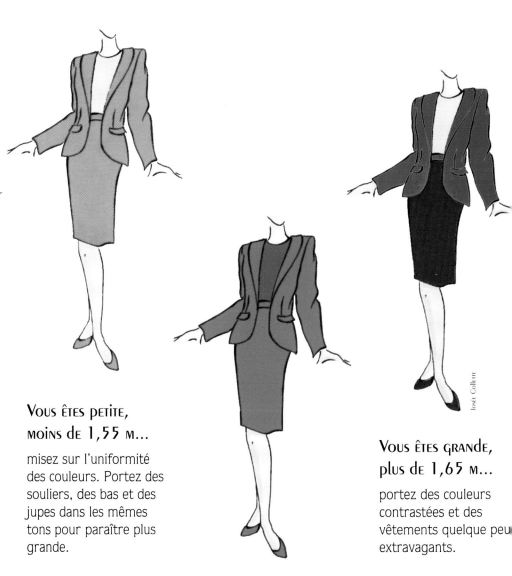

Josée Collette

Vous êtes petite, moins de 1,55 m...

misez sur l'uniformité des couleurs. Portez des souliers, des bas et des jupes dans les mêmes tons pour paraître plus grande.

Vous êtes de taille moyenne, de 1,55 à 1,65 m...

cherchez à vous grandir ou misez sur votre grandeur réelle en portant des couleurs de même intensité.

Vous êtes grande, plus de 1,65 m...

portez des couleurs contrastées et des vêtements quelque peu extravagants.

QUEL EST VOTRE TYPE DE CORPS ?

L es types de corps se divisent en quatre grandes catégories : **le type mésomorphe** ou en V; **le type endomorphe** ou en A; **le type ecto- morphe** ou en X; **le type ectomorphe** ou en H.

Une brève description de chacun de ces types vous permettra de déterminer celui auquel vous appartenez.

La personne de **type mésomorphe (en V)** a les épaules plus larges que les hanches et les cuisses. Lorsque le point le plus large, en l'occurrence les épaules, touche la ligne tracée sur le miroir, il est facile de remarquer que les hanches sont plus étroites. Chez ce type de personne, l'embonpoint se situe au niveau des bras, de la poitrine, de la cage thoracique et de l'abdomen.

La personne de **type endomorphe (en A)** a les hanches ou les cuisses plus larges que les épaules. Lorsque le point le plus large, en l'occurrence les hanches ou les cuisses, touche la ligne tracée sur le miroir, il est facile de remarquer que les épaules sont plus étroites. Chez ce type de personne, l'embonpoint se situe au niveau des cuisses et des fesses.

La personne de **type ectomorphe en X** a les hanches et les cuisses de la même largeur que les épaules, et la taille bien marquée. Les hanches, les cuisses et les épaules touchent alors la ligne tracée sur le miroir. Chez ce type de personne, l'embonpoint est réparti de façon égale et la taille reste mince.

La personne de **type ectomorphe en H** a les hanches et les cuisses de la même largeur que les épaules, mais sa taille est plutôt épaisse. Les hanches et les épaules touchent alors la ligne tracée sur le miroir. Chez ce type de personne, l'embonpoint est réparti de façon égale.

Voici une façon très simple de procéder :

- Placez-vous devant un miroir plein pied et regardez attentivement l'image de votre corps qu'il vous renvoie.

- Sur le côté droit du miroir, à 13 cm du bord, tracez une ligne verticale sur toute la hauteur à l'aide d'un marqueur.

- Passez une corde ou une bande élastique autour de votre taille pour en indiquer le creux avec précision.

- Installez-vous devant votre miroir et indiquez l'endroit le plus large de votre corps par un point au marqueur, vis-à-vis de la ligne que vous avez tracée. Cela vous permettra de découvrir la partie de votre anatomie qui est la plus large, soit les cuisses, les hanches ou les épaules.

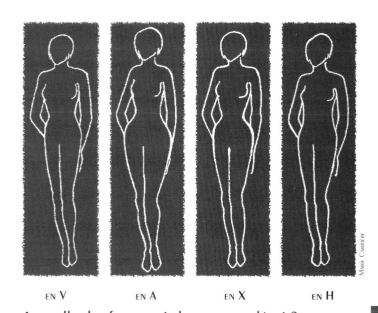

EN V   EN A   EN X   EN H

Marie Carrière

Laquelle des formes ci-dessus vous décrit?

Quelles sont vos mensurations?

À l'aide d'un galon, mesurez votre tour de poitrine, de taille et de hanches, et reportez vos résultats à la fiche personnelle de la page 117.

DÉCOUVREZ VOTRE CORPS

Maintenant que vous avez déterminé la forme de votre corps, il est important de l'étudier en détail pour connaître vos points forts et vos points faibles. En tenant compte de chacune des étapes suivantes, inscrivez vos réponses sur la fiche personnelle à la page 117. Vous serez ainsi en mesure de tracer votre profil personnalisé. Cette fiche deviendra votre guide chaque fois que vous vous achèterez un nouveau vêtement.

LE PORT DE TÊTE

Demandez à une personne de vous regarder de profil afin de déterminer si vous avez un port de tête droit ou avancé. Pour ce faire, dites-lui de tenir une règle droite le long de votre dos et de votre tête et de noter s'il y a une distance entre la règle et l'arrière de votre tête.

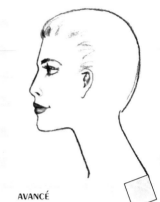

droit ☐   AVANCÉ ☐

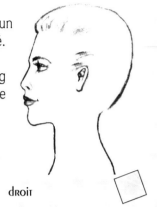

LE COU

Déterminez maintenant la longueur et l'aspect de votre cou. Est-il court, proportionné, long...

...lisse et ferme, osseux et ridé, mince, moyen, large? La circonférence d'un cou moyen étant de 33 cm, mesurez celle de votre cou à l'aide d'un galon. Si elle est moindre, vous avez un cou mince; si elle est plus grande, vous avez un cou large. Il est à noter que le cou d'une personne qui a un double menton a tendance à paraître plus court qu'il ne l'est en réalité.

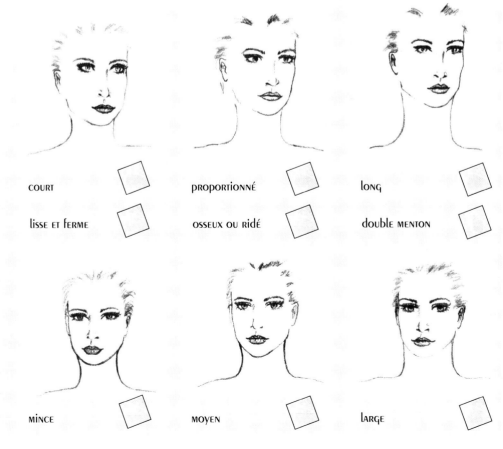

COURT ☐   PROPORTIONNÉ ☐   LONG ☐

lisse et ferme ☐   osseux ou ridé ☐   double menton ☐

mince ☐   moyen ☐   large ☐

1
2
3
4
5
6
7
8
9
10

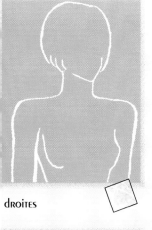

droites

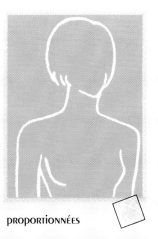

proportionnées

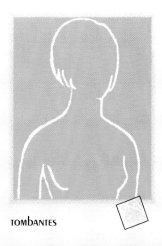

tombantes

LES ÉPAULES

Déshabillez-vous et installez-vous devant votre miroir. En vous tenant bien droite, déterminez, d'après nos croquis, l'inclinaison et la forme de vos épaules.

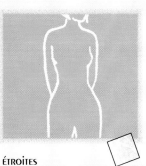

étroites

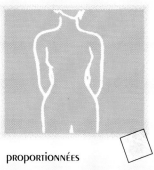

proportionnées

larges

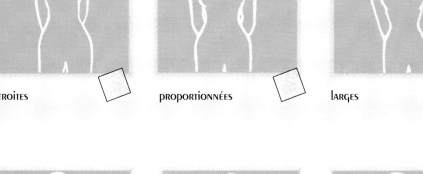

courts

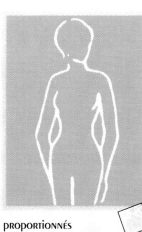

proportionnés

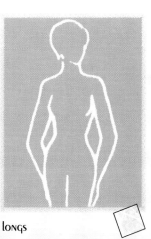

longs

LES BRAS

Laissez retomber vos bras le long de votre corps. Vos majeurs devraient arriver à mi-cuisse. S'ils arrivent plus haut, vous avez des bras courts; s'ils arrivent plus bas, vous avez de longs bras.

D'après nos croquis, déterminez si vous avez des bras délicats, moyens ou forts.

délicats

moyens

forts

Marie Carrière

113

Lignes,
formes et
silhouettes

LA POITRINE

D'après nos croquis et la grandeur de votre soutien-gorge, déterminez si vous avez une poitrine plate, proportionnée ou forte...

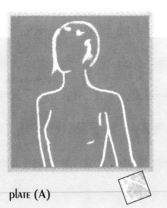 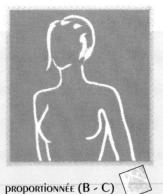 

plate (A)　　　　proportionnée (B - C)　　　　forte (D - DD)

 ## L'ABDOMEN

Regardez-vous de profil dans votre miroir et déterminez si votre abdomen est plat ou s'il est proéminent...

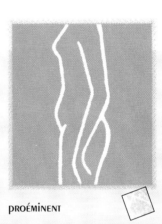 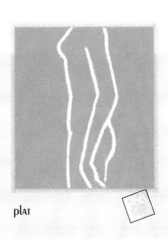

plat　　　　proéminent

 ## LA TAILLE

Si votre taille mesure moins de 69 cm, vous avez la taille fine; si elle mesure 25 cm de moins que votre tour de poitrine, vous avez une taille bien proportionnée; sinon, vous avez une taille épaisse.

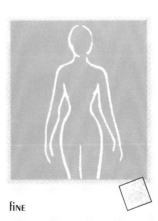 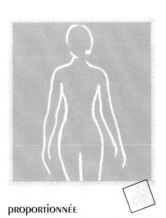 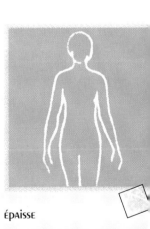

fine　　　　proportionnée　　　　épaisse

Le creux de votre taille devrait se situer à mi-chemin entre votre aisselle et l'articulation de votre cuisse. S'il est plus haut, vous avez une taille courte; s'il est plus bas, vous avez une taille longue.

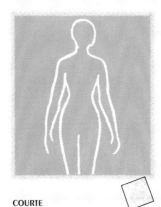  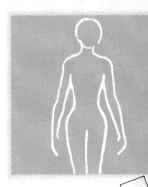

courte　　　　moyenne　　　　longue

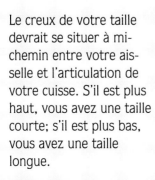

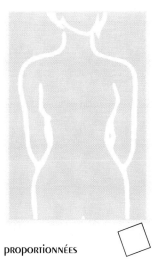

LES HANCHES

Regardez-vous de face dans un miroir et comparez la largeur de vos hanches à celle de vos épaules. Sont-elles moins larges donc étroites, de même largeur donc proportionnées ou plus larges?

TROITES ☐ PROPORTIONNÉES ☐ LARGES ☐

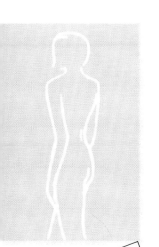

LES FESSES

Regardez-vous de profil dans votre miroir et déterminez si vos fesses sont plates, proportionnées, proéminentes...

PLATES ☐ PROPORTIONNÉES ☐ PROÉMINENTES ☐

LES CUISSES

Regardez-vous dans le miroir et déterminez si elles sont minces, proportionnées, rondes....

MINCES ☐ PROPORTIONNÉES ☐ RONDES ☐

LES JAMBES

Regardez-vous de face dans le miroir et déter- minez si vos jambes sont minces, proportionnées, fortes....

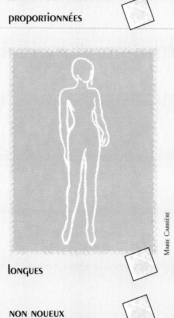

MINCES

PROPORTIONNÉES

FORTES

Pour évaluer la longueur de vos jambes, regardez- vous de face dans le miroir. Sont-elles plus courtes ou plus longues que votre torse (partie du corps de la tête à l'articu- lation de la cuisse)?

Vos genoux sont-ils noueux ? non noueux ?

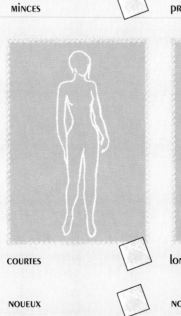

COURTES

NOUEUX

longues

NON NOUEUX

MARIE CARRIÈRE

LES PIEDS

Regardez vos pieds. Sont-ils courts, moyens, longs, étroits, propor- tionnés, larges...

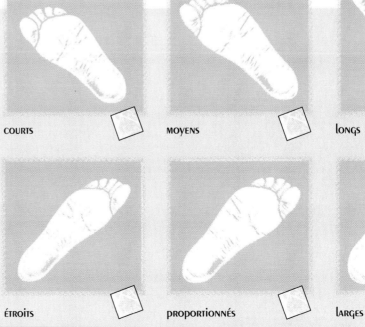

COURTS

MOYENS

longs

ÉTROITS

PROPORTIONNÉS

LARGES

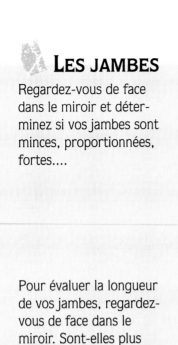

FICHE PERSONNELLE

La forme de mon visage est (ovale, rectangulaire, en cœur, triangulaire, ronde, carrée, en diamant) : ——————————

La forme de mon corps est (en A, en H, en V, en X) : ——————————

Je suis de taille (petite – moins de 1,55 m; moyenne – de 1,55 à 1,65 m; grande – plus de 1,65 m) :——————————

Mes points attrayants sont :

tête :	droite ☐	
cou :	proportionné ☐	
	lisse et ferme ☐	
	moyen ☐	
épaules :	droites ☐	
	proportionnées ☐	
bras :	proportionnés ☐	
	moyens ☐	
poitrine :	proportionnée ☐	
taille :	fine ☐	
	proportionnée ☐	
	moyenne ☐	
hanches :	proportionnées ☐	
abdomen :	plat ☐	
fesses :	proportionnées ☐	
cuisses :	proportionnées ☐	
jambes :	proportionnées ☐	
	longues ☐	
genoux :	non noueux ☐	
pieds :	proportionnés ☐	

Mes points à améliorer sont :

avancée ☐			
court ☐	long ☐		
osseux ou ridé ☐			
mince ☐	large ☐		
double menton ☐			
tombantes ☐			
étroites ☐	larges ☐		
courts ☐	longs ☐		
délicats ☐	forts ☐		
plate ☐	forte ☐		
épaisse ☐			
courte ☐	longue ☐		
étroites ☐	larges ☐		
proéminent ☐			
proéminentes ☐			
minces ☐	rondes ☐		
minces ☐	fortes ☐		
courtes ☐			
noueux ☐			
courts ☐	longs ☐		
étroits ☐	larges ☐		

L'ILLUSION PAR LES LIGNES

Les lignes dans un vêtement sont très importantes. Elles peuvent allonger, raccourcir, épaissir ou amincir une silhouette.

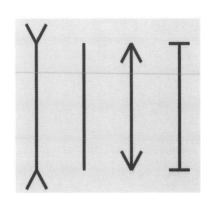

Voici quatre lignes de même longueur.

Avez-vous remarqué comme la première de ces lignes semble plus longue que toutes les autres ?

Vous obtiendrez le même résultat lorsque vous porterez une encolure en V, une écharpe ou un sautoir. Une couture centrée, une fermeture éclair ou une rangée de boutons verticale allongent davantage la silhouette.

La deuxième ligne allonge un peu moins la silhouette que la première, tandis que la troisième la raccourcit. Vous obtiendrez ce dernier effet en portant une manche raglan, par exemple.

La quatrième ligne est celle qui raccourcit le plus la silhouette. C'est l'effet qui se produit lorsque vous portez une encolure bateau, un foulard noué à l'horizontale, un empiècement ou des volants.

Une jupe de ligne A a tendance à élargir.

Une jupe droite ou boutonnée au milieu a tendance à amincir.

Une jupe à panneau a tendance à élargir. Plus le panneau est large, plus la jupe élargit la silhouette.

Une jupe à plis plats a tendance à amincir.

Josée Collette

Deux carrés identiques ?!!!

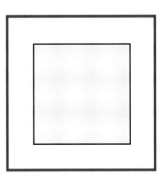

Chacun de ces deux carrés représente une personne. Le premier carré représente quelqu'un de forte taille qui porte des petits bijoux, des petits imprimés ou une coupe de cheveux très courte ayant pour effet de la faire paraître encore plus forte. Le second représente une personne délicate qui porte de gros bijoux, de gros imprimés ou une coupe de cheveux ayant beaucoup de volume. Cela contribue à la faire paraître encore plus délicate.

LE JEU DES LIGNES

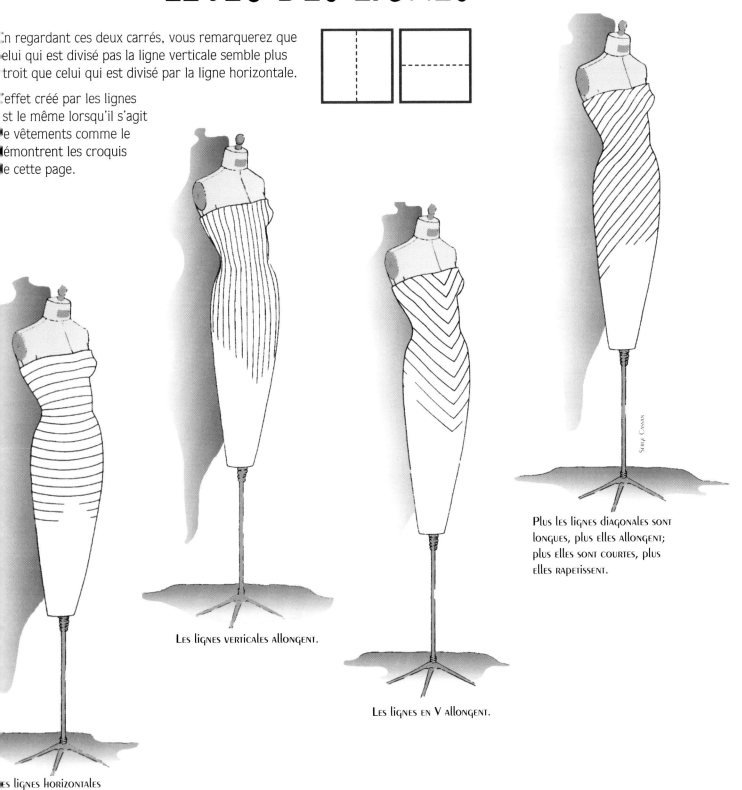

En regardant ces deux carrés, vous remarquerez que celui qui est divisé pas la ligne verticale semble plus étroit que celui qui est divisé par la ligne horizontale.

L'effet créé par les lignes est le même lorsqu'il s'agit de vêtements comme le démontrent les croquis de cette page.

Plus les lignes diagonales sont longues, plus elles allongent; plus elles sont courtes, plus elles rapetissent.

Les lignes verticales allongent.

Les lignes en V allongent.

Les lignes horizontales élargissent.

Maintenant que vous connaissez votre morphologie en détail, rien ne vous empêche de mettre en valeur vos points forts et de masquer vos points faibles avec une tenue vestimentaire bien planifiée. Vous trouverez, dans les pages qui suivent, les principales coupes de vêtements.

D'après votre morphologie, nous vous suggérons des vêtements et une série de conseils qui sauront vous mettre en valeur.

LES ENCOLURES

Pour qu'une encolure fasse ressortir la beauté d'un visage, elle ne doit pas en accentuer la forme. Ainsi, on évitera de porter des encolures rondes et carrées si on a le visage rond, et des encolures dégagées et en pointes si on a le visage pointu ou allongé. Par contre, on recherchera les lignes douces si on a un visage anguleux.

Lorsqu'on choisit une encolure, il faut aussi tenir compte de la forme du cou. Votre fiche personnelle vous aidera à établir votre guide vestimentaire.

Notez que toutes les formes d'encolures sont aussi valables pour les chemisiers que pour les robes, les chandails, les vestes et les manteaux. Elles sont, de plus, déterminantes dans le choix et la longueur des colliers.

Si, d'après la forme de votre visage et celle de votre cou, les encolures suggérées sont les mêmes, il va de soi qu'elles vous conviennent tout particulièrement et que vous devriez profiter de toutes les occasions qui s'offrent à vous pour les porter.

☐ ASCOT

☐ bain de soleil

☐ bateau

☐ bijou

☐ CAGOULE

☐ CARRÉ ÉTROIT

☐ CARRÉ MOYEN

☐ GRAND CARRÉ

☐ CHÂLE

☐ chelsea

☐ claudine (ou PETER PAN)

☐ EN CŒUR

☐ col roulé

☐ col arrondi bas

☐ CRAVATE

1
2
3
4
5
6
7
8
9
10

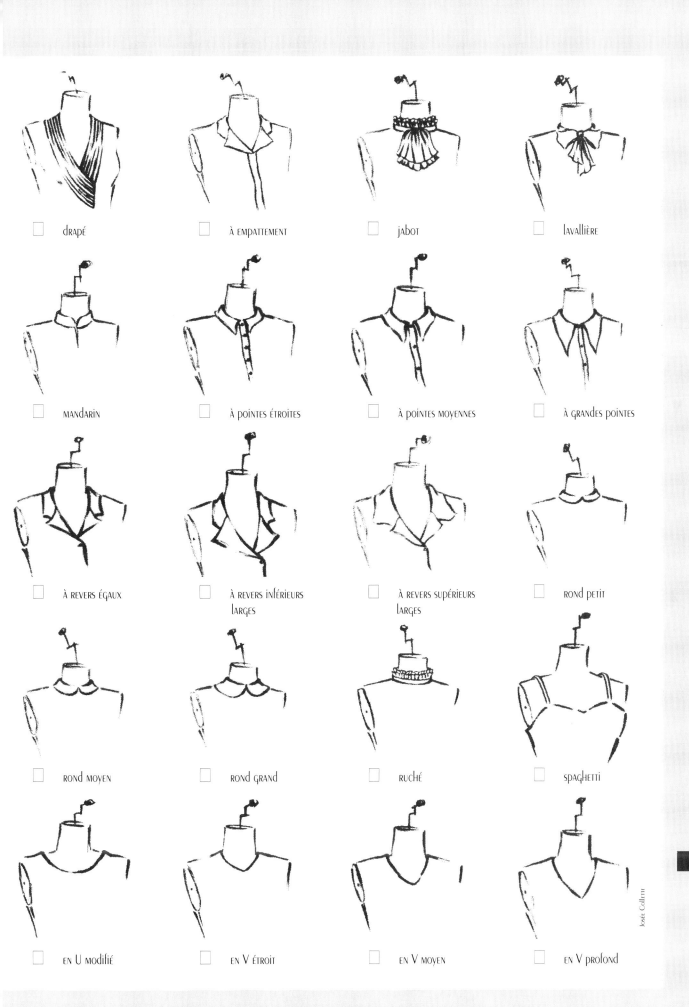

☐ drapé
☐ à empattement
☐ jabot
☐ lavallière

☐ mandarin
☐ à pointes étroites
☐ à pointes moyennes
☐ à grandes pointes

☐ à revers égaux
☐ à revers inférieurs larges
☐ à revers supérieurs larges
☐ rond petit

☐ rond moyen
☐ rond grand
☐ ruché
☐ spaghetti

☐ en U modifié
☐ en V étroit
☐ en V moyen
☐ en V profond

Josée Colletti

Lignes,
formes et
silhouettes

LES MANCHES

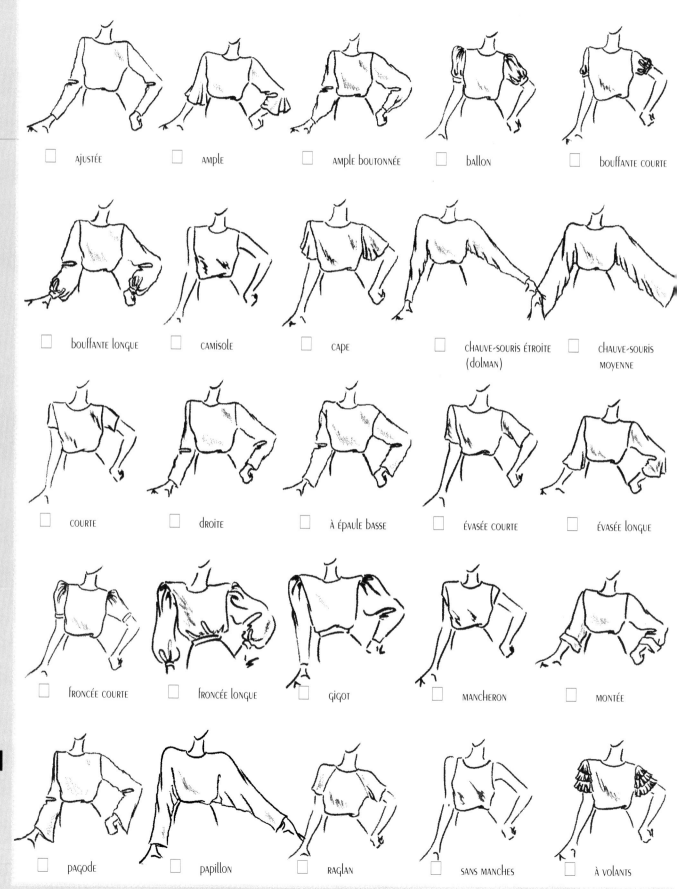

☐ ajustée	☐ ample	☐ ample boutonnée	☐ ballon	☐ bouffante courte
☐ bouffante longue	☐ camisole	☐ cape	☐ chauve-souris étroite (dolman)	☐ chauve-souris moyenne
☐ courte	☐ droite	☐ à épaule basse	☐ évasée courte	☐ évasée longue
☐ froncée courte	☐ froncée longue	☐ gigot	☐ mancheron	☐ montée
☐ pagode	☐ papillon	☐ raglan	☐ sans manches	☐ à volants

LES VESTES

☐ ajustée

☐ blazer

☐ blouson

☐ boléro

☐ ceinturée

☐ chanel

☐ chemise

☐ classique

☐ droite

☐ droite à double-
boutonnage

☐ droite et ample

☐ droite et ample
à poches plaquées

☐ semi-ajustée

☐ spencer

LES CEINTURES

☐ étroite

☐ moyenne

☐ large

☐ extensible

Josée Collette

Lignes,
formes et
silhouettes

LES JUPES

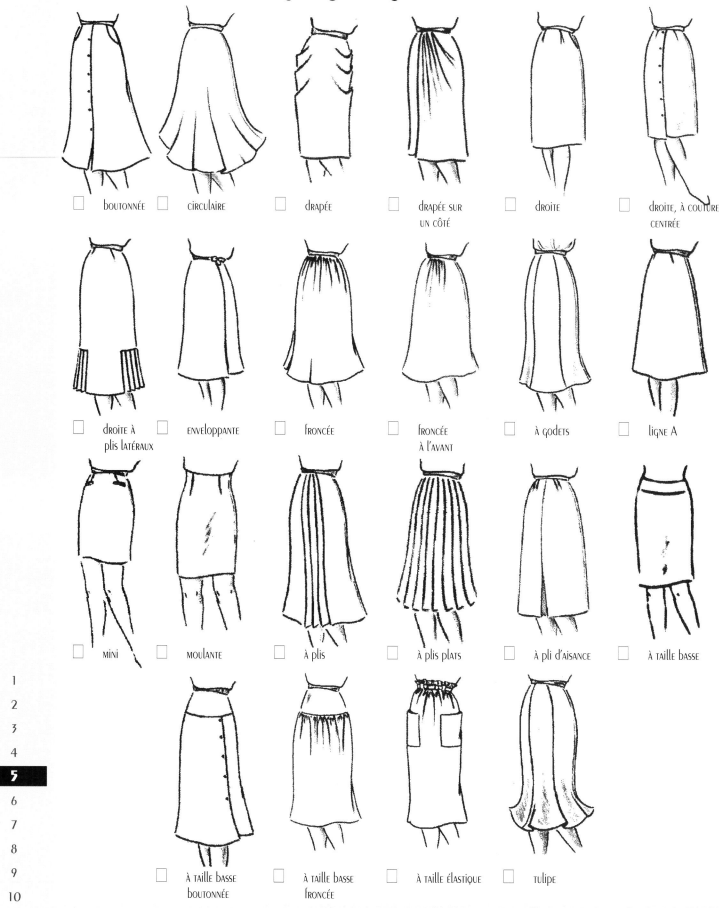

□ boutonnée   □ circulaire   □ drapée   □ drapée sur un côté   □ droite   □ droite, à couture centrée

□ droite à plis latéraux   □ enveloppante   □ froncée   □ froncée à l'avant   □ à godets   □ ligne A

□ mini   □ moulante   □ à plis   □ à plis plats   □ à pli d'aisance   □ à taille basse

□ à taille basse boutonnée   □ à taille basse froncée   □ à taille élastique   □ tulipe

LES PANTALONS

☐ bermuda   ☐ short

☐ combinaison

☐ droit   ☐ éléphant   ☐ extensible   ☐ froncé   ☐ harem

☐ jean   ☐ palazzo   ☐ à plis français   ☐ à taille basse   ☐ à taille élastique   ☐ à taille élastique et à poches plaquées

Josée Collette

LES ROBES

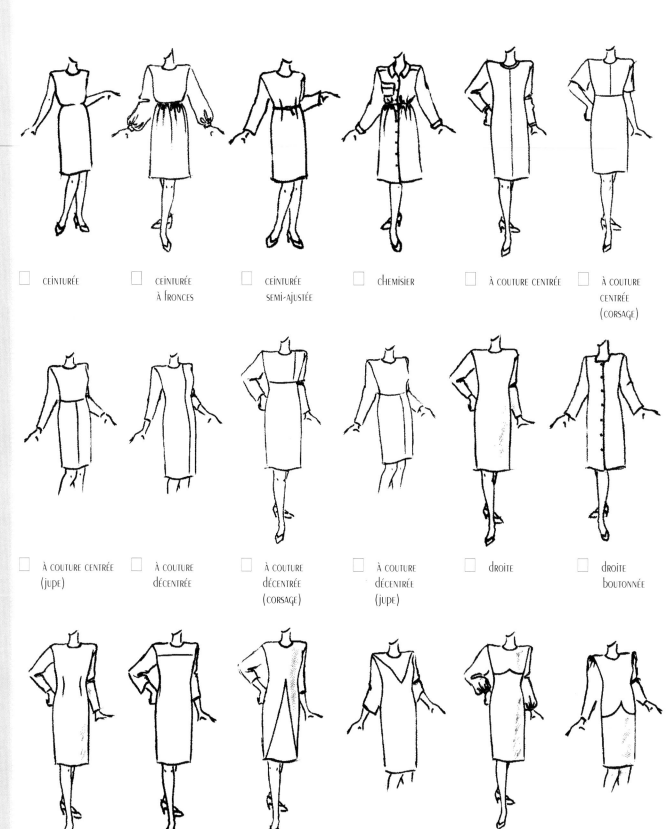

☐ CEINTURÉE   ☐ CEINTURÉE À FRONCES   ☐ CEINTURÉE SEMI-AJUSTÉE   ☐ CHEMISIER   ☐ À COUTURE CENTRÉE   ☐ À COUTURE CENTRÉE (CORSAGE)

☐ À COUTURE CENTRÉE (JUPE)   ☐ À COUTURE DÉCENTRÉE   ☐ À COUTURE DÉCENTRÉE (CORSAGE)   ☐ À COUTURE DÉCENTRÉE (JUPE)   ☐ DROITE   ☐ DROITE BOUTONNÉE

☐ DROITE SEMI-AJUSTÉE   ☐ À EMPIÈCEMENT   ☐ À EMPIÈCEMENT (JUPE)   ☐ À EMPIÈCEMENT EN V   ☐ À EMPIÈCEMENT SOUS LE BUSTE   ☐ À EMPIÈCEMENT SUR LES HANCHES

- [ ] enveloppante
- [ ] à jupe évasée
- [ ] à ligne diagonale courbe
- [ ] à ligne diagonale droite
- [ ] à panneau
- [ ] princesse

- [ ] à taille basse
- [ ] à taille soulignée
- [ ] à chevrons
- [ ] à chevrons inversés
- [ ] droite à carreaux
- [ ] à rayures diagonales

- [ ] à rayures horizontales (corsage)
- [ ] à rayures horizontales (jupe)
- [ ] à rayures verticales
- [ ] à rayures verticales (corsage)
- [ ] à rayures verticales (jupe)

Josée Collette

Lignes, formes et silhouettes

DES VÊTEMENTS À VOTRE IMAGE

*C*omme nous le savons tous, il est difficile d'être parfait. Même les plus grands mannequins ne peuvent pas toujours tout se permettre... mais elles savent mettre en valeur certains de leurs traits physiques au détriment d'autres qui gagnent à être légèrement masqués.

Lorsque vous savez choisir les styles et les coupes de vêtements qui vous conviennent, vous vous rendez vite compte que vos points faibles peuvent facilement être atténués.

Parmi les listes que nous vous suggérons, les meilleurs choix sont marqués d'un astérisque.

Si vous avez un corps en V ... vous avez les épaules larges. Les épaulettes viendront alors rehausser tout simplement vos épaules. Nous vous conseillons de porter une broche épinglée sur l'épaule ou un foulard noué autour du cou.

Si vous avez un corps en A ... vos hanches sont plus larges que vos épaules. Les épaulettes ou certaines encolures élargiront vos épaules.

Si vous avez un corps en X ... vous avez la taille fine. Soulignez-la à l'aide d'une ceinture-bijou spectaculaire.

Si vous avez un corps en H ... votre taille n'est pas vraiment démarquée. Élargissez vos épaules à l'aide d'épaulettes.

MARIE CARRIÈRE

EN **V**   EN **A**   EN **X**   EN **H**

Vous avez un visage ovale et un cou proportionné ... c'est merveilleux ! toutes les encolures vous conviennent; vous avez l'embarras du choix.

Vous avez un visage rectangulaire et un cou proportionné ... **Encolures recommandées :** *ascot, *bijou, *cagoule, châle, chelsea, claudine, en cœur, *col roulé, col arrondi bas, cravate, drapé, à empattement, jabot, lavallière, à revers égaux, rond petit, rond moyen, ruché, spaghetti, en U modifié.

VOUS AVEZ UN VISAGE CARRÉ ET UN COU PROPORTIONNÉ ... **Encolures recommandées :** ascot, bijou, *cagoule, *châle, *chelsea, claudine, *en cœur, *col arrondi bas, col roulé, cravate, drapé, à empattement, jabot, à pointes étroites, à pointes moyennes, *à revers égaux, à revers inférieurs larges, ruché, spaghetti, *en U modifié.

VOUS AVEZ UN VISAGE EN FORME DE CŒUR ET UN COU PROPORTIONNÉ ... **Encolures recommandées :** *ascot, *bateau, *bijou, *cagoule, claudine, col roulé, col arrondi bas, à empattement, *jabot, lavallière, *mandarin, à revers égaux, rond petit, rond moyen, ruché, spaghetti, en U modifié.

VOUS AVEZ UN VISAGE ROND ET UN COU PROPORTIONNÉ ... **Encolures recommandées :** *bain de soleil, bateau, bijou, cagoule, *châle, *chelsea, claudine, *en cœur, col arrondi bas, cravate, drapé, *à empattement, à pointes étroites, à pointes moyennes, *à grandes pointes, *à revers égaux, à revers inférieurs larges, à revers supérieurs larges, *spaghetti, *en U modifié, *en V étroit, *en V moyen, en V profond.

VOUS AVEZ UN VISAGE EN DIAMANT ET UN COU PROPORTIONNÉ ... **Encolures recommandées :** *ascot, *bateau, *bijou, *cagoule, claudine, col roulé, col arrondi bas, à empattement, *jabot, lavallière, *mandarin, à revers égaux, *rond petit, *rond moyen, ruché, spaghetti, en U modifié.

VOUS AVEZ UN VISAGE TRIANGULAIRE ET UN COU PROPORTIONNÉ ... **Encolures recommandées :** *ascot, *bijou, *cagoule, claudine, col roulé, col arrondi bas, cravate, drapé, à empattement, jabot, lavallière, *à revers égaux, rond petit, rond moyen, ruché, spaghetti, en U modifié.

VOUS AVEZ UN PORT DE TÊTE DROIT ... portez des vêtements sans col ou avec col, et choisissez une coiffure avec ou sans volume à l'arrière.

VOTRE TÊTE N'EST PAS VRAIMENT DROITE ... optez pour une coiffure qui offre du volume en arrière. Évitez les imprimés rayés à la verticale et les vêtements sans cols. Par contre, un foulard peut faire office de col sur un vêtement qui n'en a pas.

VOTRE COU EST PLUTÔT COURT ... portez des encolures et des cols qui l'allongeront.

Encolures recommandées : *bain de soleil, cagoule, carré, *châle, *chelsea, en cœur, col arrondi bas, cravate, drapé, *à pointes, à revers, grand rond, *spaghetti, *en U, *en V.

VOTRE COU EST PROPORTIONNÉ ... choisissez vos encolures d'après la forme de votre visage. Portez des colliers et des foulards qui servent à attirer l'attention.

Lorsque vous aurez déterminé quels vêtements semblent le mieux vous convenir, retournez aux croquis des pages 120 à 127 pour choisir les modèles que vous préférez.

Votre cou est long … portez les encolures et les cols qui le raccourciront.

Encolures recommandées : *ascot, bijou, *col roulé, *jabot, lavallière, *mandarin, rond petit, *ruché.

Votre cou est délicat,

voire mince … portez des foulards et préférez des broches aux colliers.

Encolures recommandées : ascot, *jabot, *lavallière, roulé, ruché.

Votre cou est large … évitez les encolures « horizontales ». Cherchez à dégager votre cou et portez des colliers plats.

Encolures recommandées : *bain de soleil, *châle, *chelsea, en cœur, drapé, à empattement, à revers égaux, à revers inférieurs larges, spaghetti, en U, en V moyen, en V profond.

Votre cou est lisse et ferme … optez pour des encolures dégagées et pour des bijoux qui mettront votre cou en valeur.

Votre cou est osseux ou ridé … il gagnera à être habillé soit avec des foulards, soit avec des cols roulés. Il est cependant difficile de se contraindre à ne porter que ce genre de vêtements, surtout l'été ! Optez alors pour des vêtements aux couleurs douces qui ne tranchent pas radicalement avec la couleur de votre peau.

Encolures recommandées : *ascot, bijou, cagoule, col roulé, cravate, *jabot, lavallière, mandarin, *ruché.

Vous avez un double menton … évitez les cols à ras du cou; misez sur les teintes douces et non sur celles qui offrent un trop grand contraste avec votre peau.

Encolures recommandées : *bain de soleil, bateau, carré étroit, carré moyen, *grand carré, *châle, chelsea, en cœur, drapé, à empattement, à revers égaux, à revers inférieurs larges, à revers supérieurs larges, spaghetti, en U modifié, en V étroit, en V moyen, en V profond.

Vos épaules sont étroites … il s'agit de leur donner l'allure d'épaules droites ou proportionnées. La largeur des épaules doit toujours excéder la largeur des hanches. Portez des épaulettes plus larges qu'épaisses.

Manches recommandées : *ballon, *à épaule basse, *froncée courte, *froncée longue, gigot, mancheron, à volants.

Vestes recommandées : *blazer, chemise, classique, droite à double-boutonnage, *droite et ample à poches plaquées, *semi-ajustée.

Jupes recommandées : *droite, *droite a couture centrée, droite à plis latéraux, *mini, à plis plats, à taille basse.

Robes recommandées : *à empiècement, à empiècement en V, *à rayures horizontales (corsage).

Vos épaules sont bien

proportionnées … un vaste choix s'offre à vous. Portez des épaulettes légèrement rembourrées pour rehausser les épaules, au besoin.

Vos épaules sont larges … attirez l'attention sur votre visage en portant des bijoux voyants ou encore des foulards ou des cols de couleurs contrastées.

Vos épaules sont droites ... vous avez beaucoup de latitude dans le choix des encolures, des vestes, des jupes, etc. Portez des cols de couleurs contrastées ainsi que des foulards et des broches à la hauteur des épaules.

Vos épaules sont tombantes ... il s'agit de leur donner l'allure d'épaules droites ou proportionnées. Cette illusion peut s'obtenir par un choix judicieux de manches. Des épaulettes les rehausseront et équilibreront votre silhouette.

Manches recommandées : ample, ample boutonnée, ballon, bouffante longue, chauve-souris étroite ou dolman, chauve-souris moyenne, *courte, droite, à épaule basse, évasée courte, évasée longue, *froncée courte, froncée longue, gigot, *mancheron, montée, pagode, papillon, à volants.

Vestes recommandées : blazer, *droite et ample à poches plaquées, *semi-ajustée.

Vos bras sont courts ... optez pour des manches plus courtes ou pour les manches longues et portez des bracelets étroits dans des tons pâles.

Manches recommandées : ajustée, *camisole, chauve-souris étroite ou dolman, courte, *droite, *sans manches, *mancheron, raglan.

Vous avez des bras proportionnés ... jouez avec le style et la longueur des manches.

Vos bras sont longs ... portez de larges bracelets de couleurs contrastées pour couper la longueur du bras. Optez pour les manches trois quarts ou courtes. Évitez les vêtements sans manches ou ceux qui dénudent les épaules. Si vous portez des manches longues, préférez des bandes de poignets plus larges et de couleurs contrastées.

Manches recommandées : *ample, ample boutonnée, bouffante longue, cape, chauve-souris moyenne, à épaule basse, évasée courte, évasée longue, froncée longue, gigot, *montée, pagode, à volants.

Vous avez des bras de grosseur moyenne ... jouez avec la longueur des manches.

Vos bras sont délicats, voire minces ... évitez de porter des manches moulantes et ajustées, des manches courtes et des vêtements sans manches, ainsi que les couleurs contrastées sur votre peau.

Manches recommandées : bouffante longue, évasée longue, *à épaule basse, *froncée longue, montée, *papillon.

Vos bras sont forts ... évitez de porter des manches moulantes et ajustées ou des vêtements sans manches, ainsi que les contrastes de couleurs. Si vos avant-bras sont forts, portez des épaulettes pour élargir vos épaules.

Manches recommandées : ample, *ample boutonnée, bouffante longue, chauve-souris moyenne, courte, à épaule basse, *évasée courte, *évasée longue, froncée longue, montée, pagode, papillon.

Lorsque vous aurez déterminé quels vêtements semblent le mieux vous convenir, retournez aux croquis des pages 120 à 127 pour choisir les modèles que vous préférez.

Josée Collette

Votre poitrine est plate ... attirez l'attention sur vos épaules ou sur votre taille. Évitez les tissus moulants; portez des vêtements blousants ou des vêtements qui ont des poches au niveau des seins pour chercher à créer du volume.

Vestes recommandées : blazer, *ceinturée, *chanel, chemise, classique, droite, droite à double-boutonnage, *droite et ample, droite et ample à poches plaquées, semi-ajustée.

Robes recommandées : *ceinturée, ceinturée à fronces, *chemisier, à rayures horizontales (corsage), *à taille soulignée.

Votre poitrine est bien proportionnée ... c'est-à-dire qu'elle mesure environ 25 cm de plus que votre tour de taille et que votre tour de poitrine est à peu près égal à celui de vos hanches? Osez des vêtements moulants et plus ajustés.

Votre poitrine est trop forte... tombante ... portez un bon soutien-gorge. Évitez les tissus moulants et les colliers trop longs qui arrivent à hauteur des seins. Cherchez à mettre l'emphase sur votre visage et portez des broches près du cou.

Vestes recommandées : blazer, blouson, ceinturée, *chemise, droite, *droite et ample, *droite et ample à poches plaquées, droite à double-boutonnage.

Robes recommandées : à couture centrée, *droite, à rayures verticales (corsage), *à taille basse.

Votre taille est fine ... mettez-la en évidence en portant des ceintures spéciales et des boucles bijoux.

Votre taille est proportionnée ... c'est-à-dire qu'elle mesure environ 25 cm de moins que votre tour de poitrine et que votre tour de hanches... affinez-la davantage en faisant blouser vos vêtements et en portant une ceinture.

Votre taille est bien enrobée ... évitez de porter des ceintures. Choisissez des vêtements amples qui dissimulent la taille. S'il vous arrive tout de même de mettre une ceinture, camouflez vos formes sous une veste ou sous une tunique.

Robes recommandées : à chevrons, à chevrons inversés*, *à couture centrée ou décentrée, droite, droite (boutonnée, à carreaux, semi-ajustée), à ligne diagonale (courbe ou droite), à empiècement (en V ou sous le buste), *enveloppante, à jupe évasée, à panneau, princesse, à rayures verticales.

Jupes recommandées : boutonnée, *droite à couture centrée, droite à plis latéraux, *enveloppante, ligne A, à plis, à plis plats, *à pli d'aisance.

Vestes recommandées : blazer, *blouson, *chemise, droite, droite à double-boutonnage, *droite et ample, droite et ample à poches plaquées.

Pantalons recommandés : droit, *à taille élastique, *à taille élastique et à poches plaquées.

Votre taille est courte ... évitez de porter une ceinture. S'il vous arrive d'en porter une, choisissez-la de la même couleur que celle de votre chemisier ou de votre chandail. Ne coupez pas vos couleurs à la taille et favorisez les dégradés pour chercher à créer une illusion de longueur.

Robes recommandées : *droite, *droite (boutonnée, à carreaux, semi-ajustée), à couture centrée, à couture centrée (corsage), à couture décentrée, à empiècement sur les hanches, enveloppante, à jupe évasée, *à panneau, princesse, à rayures verticales, à taille basse.

Jupes recommandées : *à taille basse, *à taille basse boutonnée, à taille basse froncée.

Vestes recommandées : *ajustée, blazer, *blouson, *chemise, classique, droite, droite à double-boutonnage, droite et ample, droite et ample à poches plaquées, semi-ajustée.

Pantalons recommandés : *combinaison, *extensible, harem, à taille basse.

Ceintures recommandées : étroite, moyenne, de la même couleur que celle du chemisier.

Votre taille n'est ni trop longue ni trop courte ... agencez les couleurs entre elles et portez une ceinture.

Votre taille est longue ... portez une ceinture de couleur différente de celle de votre jupe ou de votre pantalon pour rétablir l'équilibre. Faites blouser vos chemisiers et vos chandails à la taille et choisissez des tissus qui ont du corps.

Vestes recommandées : *blazer, *boléro, ceinturée, *chanel, classique, droite et ample à poches plaquées, spencer.

Pantalons recommandés : *à taille élastique, *à taille élastique à poches plaquées.

Ceintures recommandées : extensible, large, de la même couleur que la jupe ou que le pantalon.

Robes recommandées : ceinturée, *ceinturée à fronces, *chemisier, à empiècement, à empiècement sous le buste, à couture centrée (jupe), *à couture décentrée (jupe),*à ligne diagonale droite, à rayures verticales (jupe), à rayures horizontales (corsage et jupe), à rayures diagonales, à taille soulignée.

Jupes recommandées : *à taille élastique.

Vos hanches sont étroites ... évitez de porter des vêtements moulants. Donnez-leur du volume en portant des pantalons ayant des plis à la taille ou des jupes à plis.

Jupes recommandées : drapée, droite, *froncée, *à taille élastique, à taille basse froncée.

Vestes recommandées : *blazer, ceinturée, chanel, chemise, droite, *droite à double-boutonnage, droite et ample, *droite et ample à poches plaquées.

Pantalons recommandés : bermuda, short, combinaison, *droit, éléphant, extensible, froncé, harem, jean, palazzo, à plis français, *à taille basse, *à taille élastique et à poches plaquées.

Robes recommandées : *ceinturée, *ceinturée à fronces, chemisier, à empiècement sur les hanches, enveloppante, à rayures horizontales (corsage), *à taille basse, à taille soulignée.

Vos hanches sont proportionnées ... portez des vêtements moulants et plus ajustés.

Vos hanches sont larges ... portez des épaulettes pour élargir vos épaules et évitez de porter des vêtements ajustés et moulants.

Manches recommandées : ballon, *à épaule basse, froncée courte, *froncée longue, *gigot.

Jupes recommandées : *froncée, froncée à l'avant, *à plis plats.

Vestes recommandées : blouson, *chemise, *droite et ample, droite à double-boutonnage.

Pantalons recommandés : *bermuda, froncé, *à taille élastique.

Robes recommandées : *ceinturée à fronces, chemisier, à chevrons, à couture centrée, à couture décentrée, *droite, *à empiècement, à empiècement (en V, sous le buste, ou sur les hanches), à jupe évasée, à ligne diagonale courbe ou droite.

Lorsque vous aurez déterminé quels vêtements semblent le mieux vous convenir, retournez aux croquis des pages 120 à 127 pour choisir les modèles que vous préférez.

Josée Collette

Votre abdomen est plat et vos fesses bien proportionnées ... jouez avec les styles de ceintures, de pantalons, de jupes, et avec les formes de poches.

Votre abdomen est proéminent ... évitez de porter des ceintures, des vêtements à fermeture éclair ou à boutonnage, des tissus moulants et ajustés. Préférez-leur les vêtements amples, les fronces, les vestes, les tuniques et les cardigans assez longs pour camoufler les rondeurs.

Jupes recommandées : drapée sur un côté, *froncée, *froncée à l'avant, à plis, à plis plats.

Vestes recommandées : *blouson, chemise, *droite, droite à double-boutonnage, *droite et ample.

Pantalons recommandés : *bermuda, *froncé, palazzo, à plis français, *à taille élastique.

Robes recommandées : *ceinturée à fronces, chemisier, *droite, à empiècement, à empiècement en V, à jupe évasée, *à rayures horizontales (corsage), à rayures verticales.

Vos fesses sont proéminentes ... portez des vêtements amples et froncés ainsi que des vestes, des tuniques et des cardigans assez longs. Évitez tous les tissus moulants et ajustés.

Vestes recommandées : blazer, *chemise, *droite, *droite à double-boutonnage, droite et ample, droite et ample à poches plaquées.

Jupes recommandées : *froncée, à plis plats, *à taille élastique.

Pantalons recommandés : *froncé, palazzo, *à taille élastique, à taille élastique et poches plaquées.

Robes recommandées : ceinturée, *ceinturée à fronces, chemisier, à chevrons, à chevrons inversés, à couture centrée, à couture centrée (corsage ou jupe), à couture décentrée (corsage ou jupe), *droite, droite (boutonnée, à carreaux ou *semi-ajustée), à empiècement, à empiècement (en V ou sous le buste), enveloppante, à jupe évasée, à ligne diagonale courbe ou droite, à panneau, princesse.

Vos cuisses sont trop minces ... évitez de porter des tissus moulants et ajustés. Préférez-leur des vêtements amples et froncés pour leur donner du volume.

Pantalons recommandés : bermuda, *froncé, *harem, palazzo, à plis français, *à taille basse, à taille élastique, à taille élastique et à poches plaquées.

Vos cuisses sont bien proportionnées ... jouez comme bon vous semble avec les jupes, les bermudas, les shorts et les pantalons.

Vos cuisses sont trop rondes ... évitez les tissus moulants et ajustés. Portez des vêtements amples et froncés pour dissimuler les rondeurs.

Pantalons recommandés : *bermuda, *froncé, palazzo, à plis français, *à taille élastique.

Vos jambes sont trop courtes ... choisissez des souliers, des bas et des jupes dans les mêmes couleurs ou dans les mêmes intensités de tons. Évitez les contrastes, les jupes ou les pantalons à carreaux. Préférez-leur les rayures ou les tissus unis.

Pantalons recommandés : *extensible, *à plis français, short.

Vos jambes sont proportionnées ou longues et bien galbées ... sachez les mettre en valeur. La mode est pensée pour vous.

Vos jambes sont très minces ... évitez les jupes trop larges, les garnitures au bas des jupes, les souliers trop décorés et voyants. Portez des bas et des collants à motifs texturés.

> **Jupes recommandées :** *droite, *droite à couture centrée, à taille basse.
>
> **Pantalons recommandés :** *droit, *froncé, harem, jean, palazzo, *à plis français, à taille basse, *à taille élastique, à taille élastique et à poches plaquées.

Vos jambes sont trop fortes ... évitez les jupes trop courtes et trop étroites, les souliers à courroies aux couleurs contrastées et les garnitures au bas des jupes.

> **Jupes recommandées :** *circulaire, enveloppante, à godets, *à pli d'aisance.
>
> **Pantalons recommandés :** droit, *froncé, harem, jean, palazzo, *à plis français, à taille basse, *à taille élastique, à taille élastique et à poches plaquées.

Vous avez de beaux genoux? ... n'hésitez pas à les montrer. Portez des jupes courtes, des bermudas, des shorts !

Vos genoux sont noueux ... évitez les jupes courtes, les shorts et les bermudas.

> **Pantalons recommandés :** *droit, froncé, harem, *jean, palazzo, *à plis français, à taille élastique, à taille basse, à taille élastique et à poches plaquées.

Vos pieds sont bien proportionnés ... tous les styles de souliers et de garnitures vous conviennent.

Vos pieds sont courts ... évitez de porter des souliers dont le dessus forme une ligne horizontale ou des souliers à courroies larges. Choisissez plutôt des souliers de couleur neutre, pointus ou en U pour allonger le pied.

Vos pieds sont longs ... portez des souliers fermés dont le dessus formera une ligne horizontale. Évitez les courroies fines ainsi que les couleurs trop voyantes.

Vos pieds sont étroits ... portez des souliers fermés dont le dessus formera une ligne horizontale. Optez pour les couleurs sobres.

Vos pieds sont larges ... portez des souliers en U ou en V pour amincir le pied.

Vous possédez maintenant tout ce qu'il vous faut pour être à votre meilleur en tout temps et, de ce fait, projeter l'image de la réussite. De la tête aux pieds, plus rien ne devrait vous échapper.

Peut-être sentirez-vous le besoin de moderniser ou de rafraîchir votre garde-robe. Il suffirait sans doûte de peu...

Avant de vous précipiter au magasin, tournez vite la page. Notre prochain chapitre vous offre une multitude de conseils sur la façon de vous y prendre.

Pierre McCann

Josée Collette

VOTRE IMAGE

MAGASINEZ

Kenzo, Paris

Josée Colleru

MAGASINEZ VOTRE IMAGE

Dès la première rencontre, les gens se font une opinion de vous. Ils peuvent aller jusqu'à juger votre statut social et vous accoler une étiquette. D'où l'importance de bien paraître où que vous soyez et quoi que vous fassiez.

Choisissez votre image selon votre personnalité, en tenant compte de votre âge, de votre profession, de votre style de vie et de votre budget.

Combien de fois vous est-il arrivé de faire des achats de vêtements impulsifs et de vous rendre compte, en arrivant chez vous, que ce n'était pas du tout ce dont vous aviez besoin? Que de temps perdu, de dépenses inutiles et de déceptions !

Il existe des moyens simples d'apprendre à coordonner le contenu de sa garde-robe et de ne plus vivre la panique du « je ne sais pas quoi mettre ».

Apprenez à planifier en faisant l'évaluation de ce que vous avez et en établissant une liste d'achats prioritaires en fonction de vos besoins et, par conséquent, à investir et non à dépenser inutilement.

AUTO-ÉVALUATION DE VOTRE TENUE VESTIMENTAIRE

Le test d'auto-évaluation de votre tenue vestimentaire a pour but de vous montrer l'importance que vous devriez attacher à la recherche d'une allure personnalisée. Commencez dès aujourd'hui à penser en fonction de votre bien-être, de votre assurance et de l'impact que vous créez autour de vous puisqu'il est prouvé qu'une image vaut mille mots.

1. Avant de quitter pour le travail, quelle sorte d'image vous renvoie votre miroir?
   a) de confiance
   b) passable
   c) négative

2. Qu'est-ce qui influence votre allure?
   a) une bonne connaissance du style qui vous va le mieux
   b) les vêtements que proposent les boutiques, selon la mode
   c) l'opinion de votre entourage

3. Vous recevez une invitation de dernière minute...
   a) vous avez une tenue passe-partout dans votre garde-robe
   b) il vous manque des items pour compléter votre tenue
   c) vous ne savez pas quoi mettre et vous devez refuser l'invitation

4. Lorsque vous achetez un vêtement, qu'est-ce qui influence votre décision?
   a) la connaissance de vos besoins
   b) le coup de foudre pour ce vêtement
   c) le manque de temps pour chercher autre chose

5. Votre entourage vous félicite sur le choix de vos vêtements :
   a) souvent
   b) à l'occasion
   c) rarement

6. Votre entourage vous félicite sur l'agencement de vos couleurs :
   a) souvent
   b) à l'occasion
   c) rarement

7. Votre entourage vous félicite sur la coupe de vos vêtements :
   a) souvent
   b) à l'occasion
   c) rarement

KENZO, PARIS

Compilez vos résultats. Si vous obtenez une majorité de « a », vous projetez une image de confiance. Vous avez le sens inné de ce qui vous convient. Si vous obtenez une majorité de « b », vous projetez une image passable. Certains conseils vous seraient profitables. Si vous obtenez une majorité de « c », vous projetez une image négative. Prenez le temps de mieux vous connaître.

LE CONTENU DE VOTRE
GARDE-ROBE

Avant de décider d'ajouter des items à votre garde-robe ou d'en éliminer, prenez le temps d'évaluer ce que vous avez déjà. Choisissez un moment de la journée où vous serez certaine de ne pas être dérangée. Ayez une boîte ou un panier à portée de la main pour y déposer les vêtements dont vous ne voudrez plus, et un grand miroir dans lequel vous pourrez vous voir de la tête aux pieds.

Sélectionnez vos vêtements

1. Choisissez vos vêtements par ordre de préférence et placez-les les uns à côté des autres jusqu'à ce que votre garde-robe soit vide.

2. Touchez vos vêtements afin de bien sentir les formes, les matières et la vibration des couleurs. Cette étape est nécessaire dans le choix des vêtements.

3. Déposez dans la boîte ou dans le panier tous les vêtements dont vous ne voulez plus ou que vous ne portez plus depuis un an ou deux. Vous pourrez en disposer comme bon vous semble. Cependant, n'hésitez pas à conserver des vêtements que vous ne portez plus, mais qui sont reliés à des émotions particulières.

4. Essayez les premiers vêtements sélectionnés avec les chaussures et les accessoires assortis.

5. Regardez-vous dans votre miroir, de la tête aux pieds, de face, de dos, de profil.

6. Déterminez les vêtements coordonnés que vous préférez en tenant compte des couleurs, des textures et du style.

7. Dressez une liste des vêtements et/ou des accessoires qui manquent pour compléter les ensembles choisis.

Irving, Samuel

Sélectionnez vos accessoires

Pour sélectionner vos chaussures, vos sacs, vos chapeaux, etc, procédez comme pour la sélection de vos vêtements en gardant à l'esprit que :

• Vous devriez vous départir des chaussures inconfortables ou de mauvaise qualité.

• Les sacs à main, les gants et les écharpes ont une durée moyenne de vie de plus de deux ans.

Jean Claude Poitras Design

VÊTEMENTS : BOUTIQUES HENRIETTE L. ET L'AVENTURE POUR FEMMES, RUE LAURIER
HENRI : RITA R. GIROUX, marchande de fleurs, rue St-Paul
photo prise chez l'Ami du Collectionneur, rue St-Paul par Studio Michel Bodson

Sélectionnez vos bijoux

Un bijou possède toujours une valeur sentimentale autant qu'artistique. Vous pouvez faire un achat-placement ou un achat « tendance-mode ». Seul votre goût et votre cœur pourront vous guider.

Les bijoux en or ou de couleur or s'harmonisent mieux avec les couleurs chaudes; les bijoux en argent ou de couleur argent, avec les couleurs froides. Les bijoux-mode peuvent transformer une tenue en un clin d'œil. Vos bijoux anciens pourront apporter une touche romantique à votre allure.

DES ACHATS PLANIFIÉS?!

Ce test vous révélera si vous avez planifié vos achats ou non. Vous devez choisir vos accessoires d'après les vêtements que vous portez. Certaines couleurs comme le noir, le bleu marine, le taupe, le marron représentent des valeurs sûres.

Les cinq vêtements que je préfère sont :

Description	Tissu	Couleur	État	Autres

Les choix que j'ai fait peuvent-ils s'agencer entre eux?

Les deux ensembles de sacs et chaussures que je préfère sont :

Description	Matière	Couleur	État	Autres

Les accessoires que je préfère sont :

Description	Matière	Couleur	État	Autres

Ces choix sont-ils coordonnés à mes choix de vêtements?

Les cinq bijoux que je préfère sont :

Mes choix en matière de bijoux sont-ils coordonnés à mes vêtements?

KENZO, PARIS

COMMENT VIVEZ-VOUS?

La vie d'une femme moderne est des plus actives et dynamiques. Sa carrière, sa vie sociale, sa famille... voilà autant de facteurs qui peuvent influencer ses besoins vesti-mentaires.

La planification de votre budget en fonction de vos activités

1. Quel genre d'emploi occupez-vous actuellement?

   _____

2. Combien de sorties mondaines ou sociales faites-vous?

   par semaine ☐   par mois ☐   par année ☐ _____

3. Combien de vacances prenez-vous par année? Où allez-vous?

   _____

4. Quels sports pratiquez-vous?

   _____

   _____

5. Quelle somme consacrez-vous annuellement à votre garde-robe?

   _____

6. Combien auriez-vous à investir pour améliorer votre garde-robe?

   _____

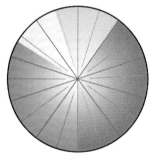

Exemple :
Les couleurs de la roue ci-dessus représentent différentes activités :

le bleu = le sommeil
le vert = les loisirs
le jaune = la vie familiale
le rouge = le travail

Colorez la roue de vos activités !

Lorsque vous planifiez votre garde-robe, pensez qu'en une semaine, vous dormez en moyenne le tiers du temps et que vous êtes active le reste de la semaine.

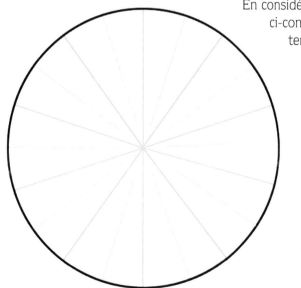

En considérant que la roue des activités ci-contre représente 100 % de votre temps, déterminez, en pourcentage, le temps que vous consacrez au sommeil, aux loisirs, à votre famille et au travail, et partagez la roue en conséquence. D'après le pourcentage établi pour chacune de vos activités, il vous sera plus facile de déterminer quelle partie de votre budget vous devriez consacrer à vos tenues vestimentaires.

L'INVENTAIRE DE VOTRE GARDE-ROBE

coordonnée automne/hiver

L'inventaire de mes vêtements (chemisiers, cardigans, pulls, jupes, pantalons, robes, robes habillées, tailleurs, vestes, capes, manteaux)

Type de vêtement	Description (tissus/couleurs)	Date d'achat

L'inventaire de mes accessoires (chapeaux, foulards, ceintures, porte-documents, sacs, bas, souliers) **en fonction de ma garde-robe coordonnée automne/hiver**

Article	Description (couleur/forme)	Date d'achat

L'inventaire de mes bijoux (boucles d'oreilles, colliers, broches, bracelets)

Article	Description	Date d'achat

1
2
3
4
5
144   **6**
7
8
9
10

ordonnée printemps/été

ventaire de mes vêtements (chemisiers, cardigans, pulls, jupes, pantalons, robes, robes habillées, lleurs, vestes, capes, manteaux)

e de vêtement	Description (tissus/couleurs)	Date d'achat

ventaire de mes accessoires (chapeaux, foulards, ceintures, porte-documents, sacs, bas, souliers)
fonction de ma garde-robe coordonnée printemps/été

icle	Description (couleur/forme)	Date d'achat

ventaire de mes bijoux (boucles d'oreilles, colliers, broches, bracelets)

icle	Description	Date d'achat

UNE JUPE, CINQ ALLURES

Choisissez un tissu quatre saisons et une teinte neutre d'intensité moyenne, préférez une jupe droite ou une jupe plissée à taille élastique... vous vous rendrez vite compte de toutes les allures différentes qu'elle vous permettra d'avoir.

Allure classique : avec un chemisier et une veste de type Chanel

Allure sophistiquée : avec une camisole ou un bustier sous une veste bien taillée

1
2
3
4
5
7
8
9
10

Allure décontractée :
avec un chandail en tricot de coton uni ou imprimé

Allure chic :
avec un chemisier de soie

Allure passe-partout :
avec un chemisier, une cravate et un cardigan

Josée Collette

Certains vêtements conviennent mieux que d'autres à certains types de personnalité et vous comprendrez, en feuilletant les pages qui suivent, l'importance de bien savoir agencer les formes et les couleurs entre elles afin d'obtenir un maximum de combinaisons avec un minimum de vêtements. Faites-en l'expérience... vous serez à la fois surprise et enchantée du résultat !

Choisissez, parmi votre garde-robe, des vêtements de base que vous aimez porter et qui vous permettront, en les agençant entre eux, d'obtenir une vingtaine d'allures différentes. Quelques achats seront peut-être nécessaires, mais ils devraient être minimes surtout si vous misez aussi sur les bijoux et sur les accessoires. Par la suite, dès que vous ajouterez une pièce à votre garde-robe, gardez toujours en tête la possibilité de marier le nouvel élément avec vos vêtements de base.

ALLURES DIFFÉRENTES POUR
LA SPORTIVE

avec : 1 pull
1 t-shirt
1 robe
1 combinaison
8 ensembles

Vêtements : Henriette L et l'Aventure pour femmes, rue Laurier
Chaussures : Browns, Place Ville-Marie et Orphée, rue Laurier
Mannequin : Lee Korbie pour l'agence Giovanni
Maquillage : Loretta pour l'agence Giovanni
Photos : Pierre McCann

1. Pull imprimé en laine et t-shirt
2. Robe de jour, en tricot de laine rouge
3. Combinaison, en crêpe vert
4. Ensemble en tricot (trois pièces)
5. Ensemble pantalon bleu marine à pastilles
6. Ensemble pantalon fuseau marron, veste en daim marron
7. Ensemble pantalon en laine vert, blouson en daim couleur maïs
8. Ensemble pantalon en denim
9. Ensemble rayé bleu marine et blanc
10. Tailleur de jour, en tricot, couleur marron (trois pièces)
11. Tailleur de jour ou de soir, en crêpe de laine, couleur café

4

3

8

6

9

Le pull imprimé peut se porter avec le pantalon vert, le pantalon fuseau marron, la jupe marron,

La veste et le pull du tailleur marron peuvent se porter avec **la jupe du tailleur café** et avec **le pantalon vert**.

La veste du tailleur café peut se porter avec **la jupe marron** et avec **le pull marron**.

Le cardigan et le pull écrus peuvent se porter avec **le pantalon bleu marine à pastilles**, **la jupe-culotte rayée bleu marine et blanc**, **la jupe marron**, **le pantalon en denim**, **le pantalon fuseau marron**, **le pantalon vert**.

Le blouson rayé bleu marine et blanc peut se porter avec **le pantalon bleu marine à pastilles**.

La veste en daim marron peut se porter avec **la jupe et le pull marrons**, **le pantalon vert et le pull marron**, **le pantalon en denim et le t-shirt**, **la jupe café et le pull marron**.

Le blouson en daim maïs peut se porter avec **le pantalon fuseau marron et le t-shirt**, **la jupe et le pull marrons**, **le pantalon en denim et le t-shirt**, **la jupe café**, **le pantalon en denim**.

Le blouson en denim peut se porter avec **le pantalon fuseau marron** et **le pantalon vert**.

1

32

ALLURES DIFFÉRENTES POUR LA DRAMATIQUE

avec : 1 robe
1 pantalon
1 veste
8 ensembles

1. Veste en soie jaune
2. Robe bleu marine à pastilles
3. Ensemble robe bleu marine et veste à rayures
4. Ensemble en soie rouge
5. Ensemble du soir, robe et veste noires
6. Ensemble en tricot, pull écru et jupe bleu marine
7. Ensemble en tricot bleu royal
8. Ensemble veste de lin imprimée et jupe noire
9. Tailleur blanc
10. Tailleur gris
11. Tailleur prince-de-Galles avec appliqués de dentelle
12. Pantalon prince-de-Galles

4

5

Vêtements - Boutique Henriette L., rue Laurier
Chaussures - Browns, Place Ville-Marie
Mannequin - Dominique Bertrand pour l'agence Ginette Achim
Maquillage - Loretta pour l'agence Giovanni
Photos prises à la boutique Henriette L. par Pierre McCann

Le **blouson en soie rouge** peut se porter avec **la jupe rouge** ou **la jupe noire**.

Le **pull écru** peut se porter avec **la jupe bleu marine**, **la jupe** ou **le pantalon prince-de-Galles**.

Le **pull bleu royal** peut se porter avec **la jupe bleu royal**, **la jupe prince-de-Galles**, **le pantalon prince-de-Galles**, **la jupe noire** ou **blanche**.

La veste du tailleur prince-de-Galles peut se porter avec **la jupe prince-de-Galles**, **le pantalon prince-de-Galles**, **la jupe grise** et **la jupe noire**.

La veste en soie jaune peut se porter avec **la jupe blanche**, **la jupe noire**, **la jupe grise**, **la jupe** ou **le pantalon prince-de-Galles**.

La veste du tailleur gris peut se porter avec **la jupe grise**, **la jupe noire**, **le pantalon** ou **la jupe prince-de-Galles**.

La veste du tailleur blanc peut se porter avec **une jupe blanche** et **une jupe noire**.

La veste en lin imprimée peut se porter avec **la jupe noire**, **rouge** ou **grise**.

La veste à rayures peut se porter avec **la robe bleu marine et écru** et avec **la jupe bleu marine**.

40 ALLURES DIFFÉRENTES POUR LA CLASSIQUE

avec : 3 chemisiers
2 pulls
2 vestes
2 robes
1 jupe
6 ensembles

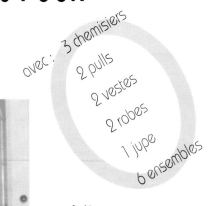

1. Veste vert pomme
2. Veste ocre
3. Robe bleue
4. Robe verte
5. Jupe à carreaux beige et vert
6. Jupe prune
7. Ensemble gris et beige (trois pièces)
8. Tailleur bleu marine
9. Tailleur moutarde
10. Tailleur pantalon rouge
11. Tailleur en poil de chameau
12. Tailleur vert forêt

Vêtements : Jean Claude Poitras Design et Irving Samuel
Chaussures et accessoires : Browns, Place Ville-Marie, Orphée, rue Laurier et Agatha-Paris
Fleurs : Rita R. Giroux, marchande de fleurs
Mannequin : Kim pour l'agence Giovanni
Maquillage : Loretta pour l'agence Giovanni
Photos prises chez Consult-Image par Pierre McCann

La veste bleu marine se porte avec la jupe bleu marine.

La veste en poil de chameau peut se porter avec la jupe en poil de chameau et le pull rouge, la jupe en poil de chameau et le chemisier imprimé or, la jupe en poil de chameau et le chemisier multicolore, la jupe grise et le chemisier beige et gris, la jupe grise et le chemisier imprimé or, la jupe grise et le chemisier multicolore, la jupe prune et le chemisier multicolore, la jupe verte et le pull vert foncé, le pantalon rouge et le pull rouge, le pantalon rouge et le chemisier imprimé or.

La veste moutarde se porte avec la jupe moutarde.

La veste ocre peut se porter avec la jupe prune et le chemisier or, la jupe moutarde et le chemisier or, la jupe bleu marine et le chemisier or, la jupe vert forêt et le pull vert forêt, le pantalon rouge et le chemisier or, le pantalon rouge et le pull rouge.

La veste rouge peut se porter avec le pantalon rouge et le chemisier or, le pantalon rouge et le pull vert, la jupe bleu marine et le pull rouge, la jupe grise et le chemisier or, la jupe moutarde et le chemisier or, la jupe en poil de chameau et le chemisier or.

La veste vert forêt peut se porter avec la jupe vert forêt et le pull rouge, la jupe vert forêt et le chemisier multicolore, la jupe grise et le pull vert, la jupe grise et le chemisier multicolore, la jupe à carreaux et le pull vert, la jupe à carreaux et le chemisier beige, le pantalon rouge et le pull vert, le pantalon rouge et le pull rouge.

La veste vert pomme peut se porter avec la jupe grise et le chemisier multicolore, la jupe bleu marine et le chemisier or, la jupe moutarde et le chemisier or.

L'ensemble chenille beige et gris peut se porter avec la jupe grise et le pull gris et beige, la jupe grise et le pull rouge, la jupe en poil de chameau et le pull gris et beige, le pantalon rouge et le pull rouge.

ALLURES DIFFÉRENTES POUR LA ROMANTIQUE

20

avec : 1 veste
3 robes
3 ensembles
4 tailleurs

1. Robe en dentelle écrue
2. Robe en dentelle perle
3. Robe imprimée
4. Ensemble jupe et pull
5. Ensemble jupe et chemisier
6. Tailleur écru avec appliqués en dentelle
7. Tailleur tapisserie
8. Tailleur en soie vert et écru
9. Tailleur rouge
10. Tailleur imprimé blanc et rouge
11. Veste écrue (non illustrée)

Vêtements : Imp-R Importations et Monde-Montréal
Bijoux et accessoires : Avanti, S M D et Agatha-Paris, rue Laurier
Chaussures : Browns, Place Ville-Marie et Orphée, rue Laurier
Mannequin : Margaret pour l'agence Giovanni
Maquillage : Loretta pour l'agence Giovanni
Photos prises chez M. Denis Duguay par Pierre McCann
Accessoires (mannequins sur pied) : Les importations Scania ltée

1

1
2
3
4
5
7
8
9
10

4

La veste du tailleur tapisserie peut se porter avec la jupe du même tailleur ou la jupe plissée écrue.

La veste du tailleur rouge peut se porter avec la jupe rouge et le chemisier écru, la jupe rouge et le chemisier rouge imprimé, la jupe imprimée et le chemisier écru, la jupe imprimée et le chemisier imprimé, la jupe plissée écrue et le chemisier écru, la jupe plissée écrue et le chemisier imprimé.

La veste écrue (non illustrée) peut se porter avec la robe en dentelle écrue, la robe en dentelle perle, la robe imprimée, la jupe écrue, la jupe tapisserie, les 2 jupes imprimées ou la jupe rouge.

L'INDISPENSABLE MANTEAU

J l existe des manteaux de toutes sortes, qui conviennent à tous les goûts et à toutes les occasions.

C'est souvent le choix d'une couleur, d'une texture ou d'un tissu en particulier qui apporte la touche finale à votre image.

blouson

MANTEAU de drap

L'imperméable

Le trench et le ciré ont un point commun qui les différencie des autres manteaux : ils sont habituellement fabriqués en tissu traité pour protéger contre la pluie. Autrefois, ils ne se portaient qu'au printemps ou à l'automne. Depuis peu, l'imper connaît un regain de popularité. Doublé de laine ou de fibres synthétiques, il se porte même pendant la saison froide. C'est le manteau idéal pour les voyages...

blouson

impermÉable

La cape

À la fois mystérieuse et sophistiquée, la cape est un vêtement ample dont les longueurs varient. Dépourvue de manches, elle enveloppe le corps et les bras. On la retrouve dans toutes sortes de textures, de légères à lourdes, et parfois garnie d'un capuchon, d'un col et de « passe-bras ».

CApE

blousons

Le blouson

Le blouson est une veste courte ou ample, de sport ou de ville, retenue à la taille par une bande de tissu avec ou sans élastique qui fait blouser le vêtement, d'où son nom. Il existe des blousons en cuir, en suède, en fourrure, en denim, en soie, en coton en laine ou en tissu synthétique. Il se porte à merveille avec un pantalon ou avec une jupe.

Le manteau de drap

Le manteau de drap se retrouve dans bien des styles. Qu'il soit droit, croisé, cintré ou ample, il reflète toutes les tendances de la mode. La variété de ses tissus : laine, cachemire, poil de chameau, alpaga, etc., lui permettent d'épouser parfaitement votre personnalité.

MANTEAU de drap

MANTEAU de drap

MANTEAU CAPE

MANTEAU de drap

MANTEAU de drap

MANTEAU de drap

CAPES

fourrure synthétique

manteau de drap

cape

pelisse

La pelisse

La pelisse est un manteau imperméabilisé doublé de fourrure, fausse ou vraie. Il permet de braver aussi bien les grands froids que les pluies battantes et les écarts importants de température.

manteau de drap

Le manteau de duvet

Le manteau doublé de duvet, ou « doudoune », a une allure sportive. Habituellement imperméable, il est léger et protège des grands froids. Il est souvent accompagné d'un capuchon et agrémenté de grandes poches et d'une fermeture éclair dissimulée sous un empattement.

doudoune

1
2
3
4
5
7
8
9
10

fourrure synthétique

Jean-Philippe Riquier

La fourrure synthétique

La fourrure synthétique a fait son apparition il y a une trentaine d'années. Pendant longtemps, elle n'a été qu'une faible imitation de la vraie fourrure. De nos jours, cependant, les fibres utilisées permettent plus d'audace, de souplesse, de liberté. Légère et chaude, la fourrure synthétique est amusante à porter.

Paco Rabanne collection Haute Couture automne-hiver 90/91

cape

Christian Rivière pour Louis Féraud collection automne-hiver 90

manteau de drap

Yann Romain pour Louis Féraud collection automne-hiver 90

pelisse

Le loden

Le loden, d'origine autrichienne, est un manteau chaud qui ne passe pas de mode et qui est de plus en plus populaire. On le retrouve dans des tons de vert pour celles qui aiment la verdure, la vie à la campagne, et de bleu marine pour celles qui préfèrent une allure chic, mais décontractée.

pelisse

Jean-Philippe Riquier

Les importations Scania ltée

imperméable

Givenchy

Vous !

Imagez-

7

Photo : Pierre Arsenault

Mannequins : Fabienne et Kathlyn pour l'agence Specs, Brigitte L. et Nadine P. pour l'agence Folio

Vêtements : Jean Claude Poitras Design, Bijoux et accessoires : Klin

IMAGEZ-VOUS !

Afin de satisfaire les besoins des individus, l'industrie de la mode doit franchir plusieurs étapes différentes : conception, production de croquis, sélection de tissus et de matériaux, production et mise en marché.

Alors que son rôle s'arrête ici, le vôtre ne fait que commencer !

Maintenant que vous connaissez votre personnalité et votre morphologie, vous êtes en mesure de créer l'image que vous aimeriez projeter.

Rien ne vous empêche d'emprunter des touches de fantaisie aux autres personnalités.

Que vous soyez classique, sportive, dramatique ou romantique, vous trouverez, dans les pages qui suivent, de nombreux conseils sur le choix d'une garde-robe, d'accessoires, d'un parfum, d'une coiffure, d'un maquillage... à votre image !

Découvrez les normes de l'élégance en tout temps. Faites-vous plaisir !

Mondi

L'HISTOIRE DU PARFUM

Dans l'Antiquité, seules des substances végétales ou animales étaient utilisées pour se parfumer. Les Grecs confectionnaient un parfum à base de fleurs et les Romains, lors des banquets, libéraient des colombes dont les ailes étaient enduites de parfum.

Les Arabes sont les premiers à avoir ajouté de l'alcool aux huiles de fleurs et les moines spécialistes en botanique furent les premiers « nez » ou parfumeurs.

Au Moyen-Âge, le gant était symbole de galanterie et on le parfumait pour le rendre plus séduisant. C'est ainsi que les gantiers sont devenus les premiers vendeurs de parfum.

Philippe Auguste a reconnu leur corporation en 1190 et Grasse, la capitale de la ganterie, est devenu le centre mondial de la parfumerie.

Au XIVᵉ siècle, l'eau de Hongrie, une eau alcoolisée qui fut le précurseur de l'eau de cologne, était utilisée comme médicament.

Pendant les règnes de Louis XIV et de Louis XV, le parfum était utilisé en abondance. Deux grands noms apparurent à l'époque : Houbigant en 1775 et Lubin en 1798.

À la fin du XIXᵉ siècle, deux grandes découvertes viennent révolutionner le monde de la parfumerie : le traitement des fleurs par des solvants volatiles et l'apparition de produits synthétiques. Les premiers grands noms de la parfumerie à l'échelle internationale ont été : Guerlain, Coty et Caron.

Le début de la parfumerie moderne est marqué par la naissance, en 1921, du premier aldhéhyde : Chanel N° 5.

Depuis l'Antiquité, les parfums ne cessent de nous envoûter. On les retrouve en différentes familles — les chypre, les orientaux, les épices, les verts, les fougères, les lavandes, les tabacs, les cuirs — et en différentes notes — naturelle, fruitée, florale, mousse, animale, ambrée, vanillée, exotique, poivrée, masculine.

Chaque femme a un parfum qui lui convient tout particulièrement. Les odeurs ont une alchimie qui rejoint la personnalité profonde.

NINA RICCI

TENUES, BIJOUX ET ACCESSOIRES

pour toutes les occasions

$\mathcal{I}$l ne s'agit pas de posséder une garde-robe pleine à craquer pour s'assurer d'avoir toujours le vêtement dont on a besoin sous la main, au moment opportun.

Prenez le temps d'étudier le contenu de votre garde-robe et de faire des choix judicieux qui vous permettront, en un temps trois mouvements, de créer plusieurs tenues en agençant les pièces entre elles de différentes façons.

Que ce soit le jour, le soir ou la fin de semaine, vous n'aurez plus le souci de ne jamais savoir quoi porter.

Découvrez, par la même occasion, les merveilles que peuvent faire les bijoux et les accessoires.

Jusqu'à aujourd'hui, vous les aviez peut-être considérés comme des détails de dernière minute, sans trop y porter attention, mais vous ne devriez pas sous-estimer leur importance. N'oubliez pas qu'ils constituent en soi, une signature. De ce fait, ils doivent être choisis pour rehausser votre apparence.

Vous découvrirez que quelques accessoires suffisent souvent pour rajeunir une garde-robe ou transformer, en un clin d'œil une tenue de jour en tenue de soirée.

Apprenez dès lors à planifier vos achats d'accessoires et à les agencer entre eux pour obtenir différents effets.

Sachez tenir compte de votre personnalité, des couleurs et des formes qui constituent votre morphologie.

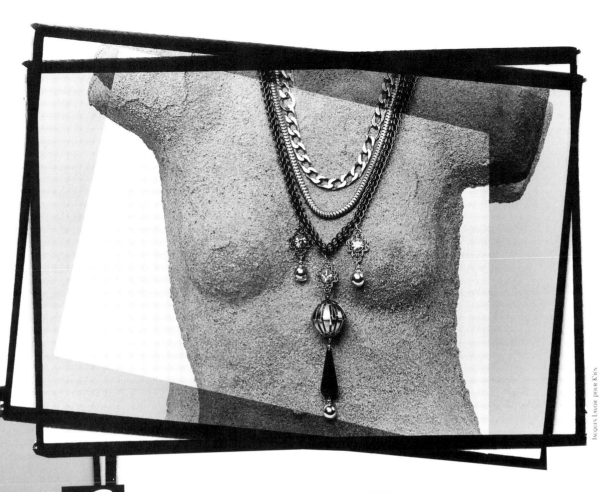

Jacques Lavoie pour K'ien

Comme le dit si bien le slogan de K'ien :

« Bijoux de corps... accessoires d'esprit ! »

K'ien réinvente la matière et les formes. Elle marie avec magie la chimie, l'art et l'artisanat.

Métal, plastique, plexi, peaux, pierre se transforment en bijoux et accessoires uniques,

démontables et transformables selon vos humeurs.

Une règle demeure cependant : la véritable élégance tient souvent du choix judicieux des accessoires.

Jacques Lavoie pour K'ien

165

et le maquillage, ...

LA SPORTIVE

Marie Carrière

Le visage de la femme sportive est très amical et son regard est franc et direct. Son image se veut simple, entière et naturelle.

166

1 Les légères imperfections de la peau sont camouflées par des crèmes correctrices : jaune sur les cernes bleutés; rose et en forme de V de chaque côté des yeux. Les taches de rousseur ne sont pas estompées, car elles intensifient la personnalité du modèle.

2 Une crème légèrement teintée, de la même couleur que la peau et contenant un écran solaire, est utilisée comme fond de teint.

3 Un cache-cernes légèrement plus pâle que le fond de teint est appliqué sous les yeux et sur les ailes du nez.

4 Une poudre translucide diffusant la lumière de façon à estomper les rides est appliquée sur le visage pour fixer le fond de teint et donner un fini mat à la peau.

Fard à joues

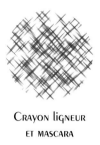

Crayon ligneur
ET MASCARA

Fond de teint

Ombre à paupières

Ombre à paupières

Rouge à lèvres

Crayon à lèvres

Pierre McCann

5 Le maquillage des yeux se compose de deux couleurs : un abricot pâle, appliqué sur toute la paupière, des cils aux sourcils, pour faire ressortir la couleur des yeux et un brun doré, appliqué en ligne horizontale, légèrement plus haut que la paupière mobile et se terminant en pointe vers l'extérieur. Un crayon ligneur brun souligne les yeux.

6 Une touche de bronze sur les joues donne une allure naturelle.

7 Les sourcils étant, à l'origine, bien dessinés, ils sont simplement brossés, puis fixés avec un gel pour qu'ils soient droits et qu'ils encadrent mieux le visage.

8 Le mascara brun ajoute de la profondeur au regard.

9 La ligne naturelle des lèvres est soulignée par un crayon contour de couleur brique et un rouge à lèvres de couleur cannelle complète l'harmonie.

...la coiffure, ...

La femme sportive recherche avant tout une coiffure d'allure naturelle qui ralie souplesse, liberté et facilité d'entretien.

Wella

...le parfum, ...

La femme sportive optera pour les notes fraîches, légères, naturelles parmi les floraux (senteur de fruits frais ou de fleurs sucrées), les orientaux (senteur de vanille, animale ou exotique), les fougères, les lavandes.

Notre sélection pour la femme sportive :
Amazone, Courrèges in Blue, Diorissimo, Eau de Givenchy, Fougère, Guerlain, Initiation, Lauren, Miss Dior, Must, Opium, Royale, Y, Youth Dew.

Courrèges in Blue

Courrèges in Blue correspond parfaitement à l'univers d'André Courrèges qui se nourrit d'air, de soleil et d'espace.

Nouveau par son rythme, son allure, son parfum, Courrèges in Blue est une nouvelle harmonie dans le monde des parfums. Comme le bleu du ciel, comme la transparence de l'eau vive, Courrèges in Blue entraîne dans son sillage une secrète symphonie de notes fleuries, pétillantes et vivantes, boisées (patchouli et santal) et épicées (girofle).

Opium

Opium, synonyme des mystères de l'Orient, a été créé par Yves Saint Laurent à l'intention de la femme active et moderne à l'allure désinvolte, profondément amoureuse de la nature et de la vie. Il devient un complice de tous les instants. Vivre sa vie sur des notes fruitées, épicées, orientales et exotiques au même rythme que les princesses des contes des mille et une nuits.

... des tenues pour toutes les occasions, ...

Lutz pour Unanyme de Georges Rech

Que ce soit au grand jour, sous les lumières féériques d'une de ces soirées magiques ou lors d'une fin de semaine de détente, il existe des tenues pour toutes les occasions.

Une couleur identifie chacun de nos modèles : le jaune pour le jour, le bleu pour le soir et le vert pour la fin de semaine.

Balenciaga collection automne-hiver 90/91

Kenzo collection automne-hiver 89/90

Anne-Marie Beretta

1
2
3
4
5
6
7
8
9
10

Lutz pour Unanyme de Georges Rech

wAlter Chin pour Synonyme
e Georges Rech

Laura Ashley

...les bijoux et les accessoires

Bijou de cœur ou bijou-mode, chaussure classique ou sandale, sac à main ou sous bras, chapeau, écharpe, carré de soie, l'accessoire demeure la touche finale de l'élégance féminine.

Mondi

Mondi

Bijoux : Aqua-Paris, rue Laurier
Photo : Studio Michel Bodson

Jean Valade pour K'ien

1
2
3
4
5
6
7
8
9
10

Mondi

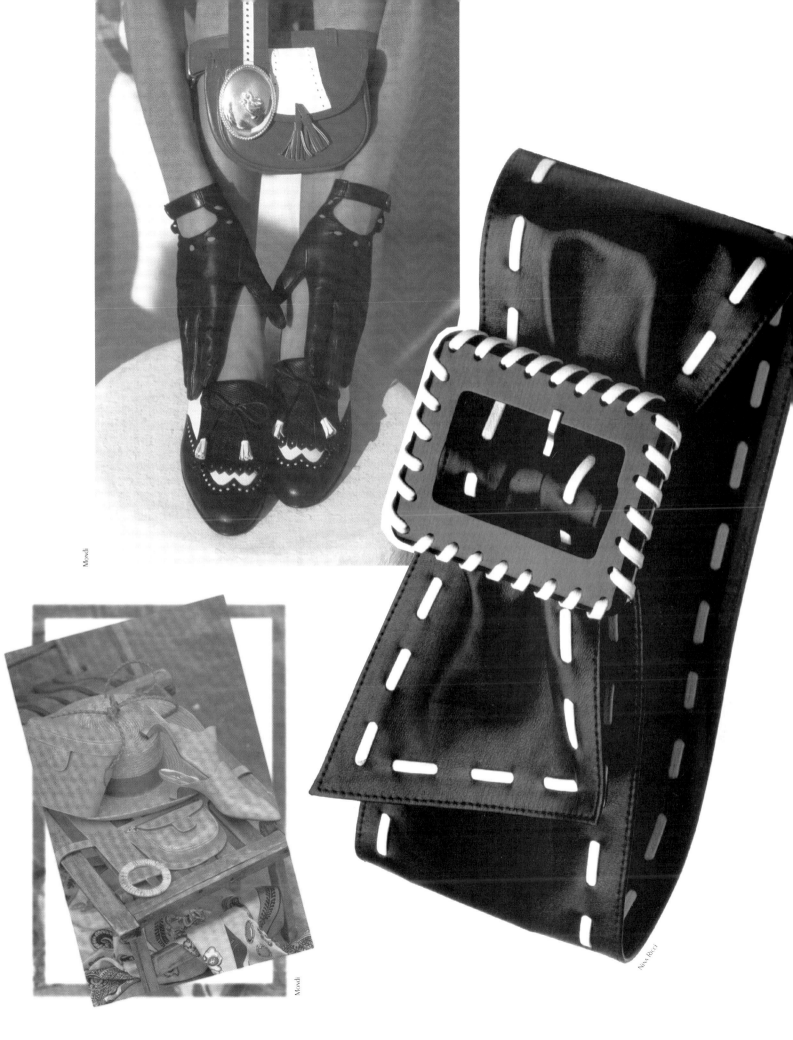

Mondi

Mondi

Nina Ricci

et le maquillage, ...

LA DRAMATIQUE

Le visage de la femme dramatique a les traits plutôt anguleux. Son regard est intense et éblouissant. Son image se veut specta-culaire et séduisante.

Marie Carrière

1 Les imperfections de la peau sont camouflées par l'application de crèmes correctrices : jaune sur les cernes sous les yeux, verte sur les petites rougeurs; rose sur les régions décolorées. Les yeux sont mis en valeur par une touche de cache-cernes sur chacune des tempes.

2 Un fond de teint de la même couleur que la peau est appliqué sur tout le visage.

3 Un cache-cernes légèrement plus pâle que le fond de teint est appliqué sous les yeux, sur les ailes du nez et au creux du menton.

4 Une poudre translucide qui diffuse la lumière de façon à estomper les rides est appliquée sur tout le visage pour fixer le fond de teint et donner un fini mat à la peau.

1
2
3
4
5
6
7
8
9
10

Fard à joues

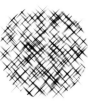

Crayon ligneur
ET MASCARA

Fond de teint

Ombre à paupières

Ombre à paupières

Ombre à paupières

Rouge à lèvres

Crayon à lèvres

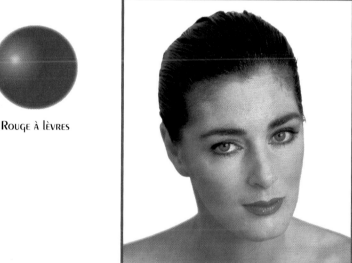

Pierre McCann

5 Une poudre d'un rouge intense sur les joues accentue les pommettes saillantes.

6 Le maquillage des yeux se compose de trois couleurs : un rose pâle sur toute la paupière, des cils aux sourcils pour faire ressortir la couleur des yeux; une teinte de la famille du vert; et un brun-rouge pour faire ressortir davantage le vert de l'œil. Un trait de crayon ligneur noir souligne les yeux.

7 Les sourcils sont brossés et colorés avec une poudre à sourcils pour raviver leur couleur naturelle, avant d'être fixés avec un gel.

8 Un mascara noir, appliqué en plusieurs couches, ajoute de la profondeur au regard.

9 Un crayon contour rouge souligne la ligne naturelle des lèvres. Un rouge à lèvres rouge vif mat complète l'harmonie.

...la coiffure, ...

La femme drama-
tique sera attirée par le
volume et les formes
géométriques dont le
côté sophistiqué reflète
bien sa personnalité.

Wella

...le parfum, ...

La femme dramatique optera pour des parfums des familles suivantes : épices (cannelle, poivre, gingembre), orientaux (vanille, exotique), chypres (ambré), verts (citronné frais). On retrouve, dans ces parfums, des qualités premières telles vitalité, nervosité, envoûtement, préciosité, contraste, richesse.

Notre sélection de parfums pour la dramatique : C'est la vie !, Courrèges, Givenchy III, Mackie, Montana, Paloma Picasso, Rive Gauche, Shalimar et Sung.

C'est la vie !

C'est la vie ! Un nom choisi par Christian Lacroix pour son parfum qu'il voulait d'une composition somptueuse. Fidèle à son goût des contrastes, il souhaitait cette fragrance généreuse, aux accords floraux, à la fois gaie et mélancolique. Comme le bonheur, le parfum mêle les promesses aux souvenirs, car le parfum c'est avant tout une mémoire et la mémoire, C'est la vie ! La femme dramatique au regard mystérieux se reconnaîtra dans cette fragrance.

Montana

Montana est un « parfum de peau » qui se confond avec elle, évoque une chaleur et une féminité pures à l'image de la femme dramatique.

Le style et la construction olfactive du parfum Montana sont en harmonie avec la mode du grand couturier. Ses notes puissantes et intenses qui évoluent et changent, expriment toute la créativité de Claude Montana. Au fil des secondes, la fragrance devient musquée et ambrée. Le cœur est une brassée de notes florales (jasmin, rose, narcisse) qui rebondissent sur des accents boisés (patchouli, santal, Myrose, mousse de chêne) présentées dans un flacon artistiquement travaillé.

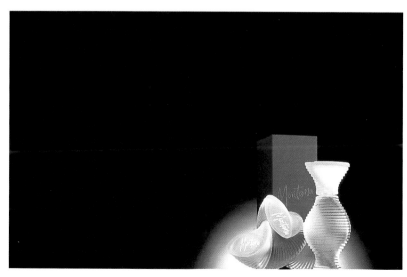

... des tenues
pour toutes
les occasions, ...

$\mathcal{Q}$ue ce soit au grand jour, sous les lumières féériques d'une de ces soirées magiques ou lors d'une fin de semaine de détente, il existe des tenues pour toutes les occasions.

Une couleur identifie chacun de nos modèles : le jaune pour le jour, le bleu pour le soir et le vert pour la fin de semaine.

Christian Lacroix haute-couture Automne/hiver 90-91

Christian Lacroix prêt-à-porter de luxe été 91

Kenzo automne hiver 89 90

1
2
3
4
5
6
7
8
9
10

LOUIS FÉRAUD HAUTE-COUTURE AUTOMNE/HIVER 90-91

JOSEF GERARD pour MARIE SAINT PIERRE

CHRISTIAN LACROIX HAUTE-COUTURE AUTOMNE/HIVER 90-91

JOSEF GERARD pour MARIE SAINT PIERRE

LANVIN HAUTE-COUTURE AUTOMNE/HIVER 90-91 par CLAUDE MONTANA

...les bijoux et les accessoires

Bijou de cœur ou bijou-mode, chaussure classique ou sandale, sac à main ou sous bras, chapeau, écharpe, carré de soie, l'accessoire demeure la touche finale de l'élégance féminine.

Mondi

Bijoux : AGATHA-PARIS, RUE LAURIER
Photo : Studio Michel Bodson

Mondi

Mondi

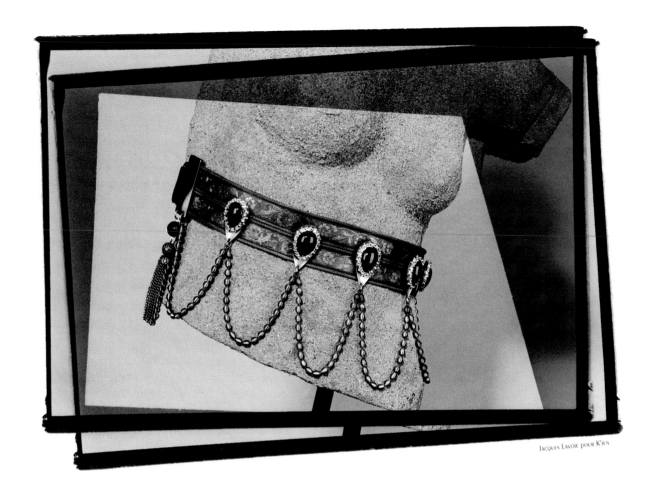

JACQUES LAVOIE POUR K'IEN

Mondi

K'IEN

et le maquillage, ...

LA CLASSIQUE

Marie Carrière

Le visage de la femme classique reflète le calme. Son regard est rassurant. Son image se veut élégante et raffinée tout en étant conservatrice.

1
2
3
4
5
6
7
8
9
10

1 Les imperfections de la peau sont camouflées par l'application de crèmes correctrices : jaune sur les cernes sous les yeux; verte sur les petites rougeurs; rose sur les régions décolorées. Une crème correctrice rose ou un cache-cernes appliqué sur chacune des tempes fait davantage ressortir les yeux.

2 Un fond de teint de la même couleur que la peau est appliqué sur tout le visage.

3 Un cache-cernes, légèrement plus pâle que le fond de teint, est appliqué sous les yeux, sur les ailes du nez et au creux du menton.

4 Une poudre translucide diffusant la lumière de façon à estomper les rides est appliquée sur tout le visage pour fixer le fond de teint et donner un fini mat à la peau.

Fard à joues

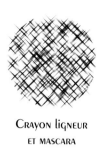

Crayon ligneur
ET MASCARA

Fond de teint

Ombre à paupières

Ombre à paupières

Ombre à paupières

Rouge à lèvres

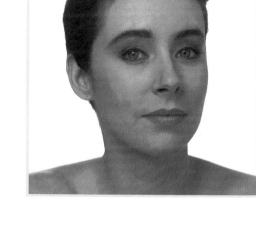

Crayon à lèvres

Pierre McCann

5 Une poudre rouge orangée colore discrètement les joues.

6 Le maquillage des yeux comporte trois couleurs : un beige pâle appliqué sur toute la paupière, des cils aux sourcils; un brun moyen; un brun plus foncé. Le crayon ligneur complète le maquillage des yeux.

7 Les sourcils sont brossés, puis colorés avec une poudre à sourcils pour raviver leur couleur naturelle, avant d'être fixés avec un gel.

8 Un mascara noir, appliqué en plusieurs couches, intensifie le regard.

9 Un crayon à lèvres rouge orangé dessine la ligne naturelle des lèvres.

...la coiffure, ...

La femme classique aime bien avoir le visage dégagé. Elle choisira une coupe de cheveux stylisée mais facile à contrôler, d'allure simple et pratique.

Wella

...le parfum, ...

La femme classique optera pour des parfums des familles des floraux (odeur de fleur et de poudré), des épices, des tabacs et des cuirs.

On retrouve, dans ces parfums, des qualités premières telles la richesse, l'harmonie, la sobriété, la pureté, la fierté et la puissance.

Notre sélection de parfums pour la classique : Armani, Arpège, Boucheron, Chanel N° 5, Cuir de Russie, Halston, Ivoire, L'Air du temps, Oscar de la Renta, Rumba, Samsara, Ysatis.

Ivoire

Ivoire de Balmain... un parfum de la famille des fleuris composés. « C'est le nom que j'ai donné à un rêve... le nom d'une femme d'une beauté souveraine parée d'une soie très pâle. Je l'ai croisée un instant dans l'escalier de l'Opéra, avant qu'elle ne disparaisse dans la nuit ». Ivoire est un hommage à la beauté et à la femme. C'est un bouquet floral subtilement composé des essences les plus précieuses et les plus rares.

Pierre Balmain souhaitait qu'une femme parfumée qui entre dans une pièce soit auréolée, mise en valeur, et que l'on regrette son effluve passée. La mode et le parfum... les inséparables de l'élégance pour la femme classique.

Chanel

Chanel N° 5, le parfum le plus vendu au monde, a été créé par Coco Chanel, cette demoiselle à l'instinct futuriste qui aimait les parfums et qui se plaisait à répéter les mots de Paul Valéry : « une femme qui ne se parfume pas n'a pas d'avenir. » Coco estimait indispensable cette goutte de « sent bon » que l'on met derrière l'oreille, au creux de l'épaule, sur le poignet... « ... vaporisez sur les endroits où vous risquez d'être embrassée », recommandait-elle. Chanel N° 5, le premier parfum aldéhyde de l'histoire, est un parfum riche, harmonieux, voluptueux, contrasté avec une note florale de jasmin. Après soixante ans d'existence, il demeure le grand classique des parfums.

... des tenues pour toutes les occasions, ...

Que ce soit au grand jour, sous les lumières fééériques d'une de ces soirées magiques ou lors d'une fin de semaine de détente, il existe des tenues pour toutes les occasions.

Une couleur identifie chacun de nos modèles : le jaune pour le jour, le bleu pour le soir et le vert pour la fin de semaine.

1
2
3
4
5
6
7
8
9
10

Photos : Karl Lagerfeld pour Chanel

...les bijoux et les accessoires

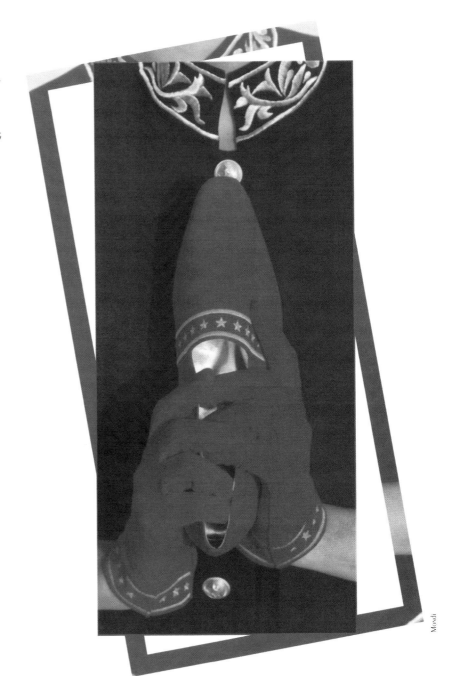

B ijou de cœur ou bijou-mode, chaussure classique ou sandale, sac à main ou sous bras, chapeau, écharpe, carré de soie, l'accessoire demeure la touche finale de l'élégance féminine.

1
2
3
4
5
6
7
8
9
10

Mondi

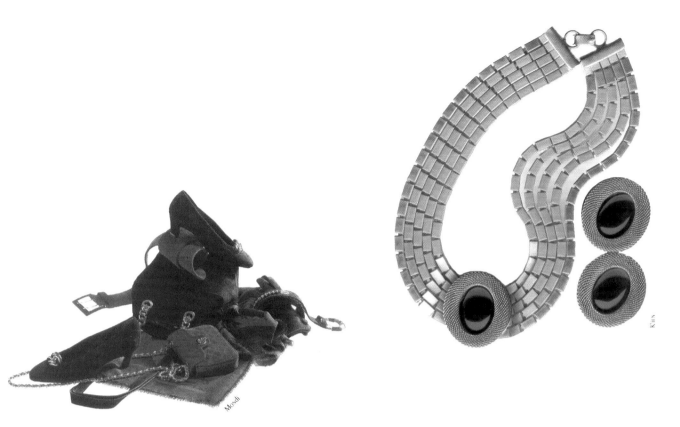

Mondi

Küss

Bijoux Agatha-Paris, rue Laurier
Photo Studio Michel Bodson

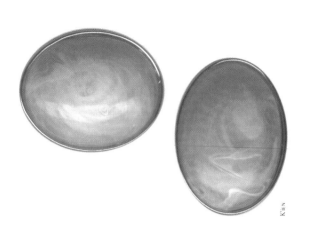

Klein

Mondi

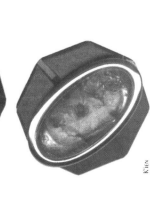

Klein

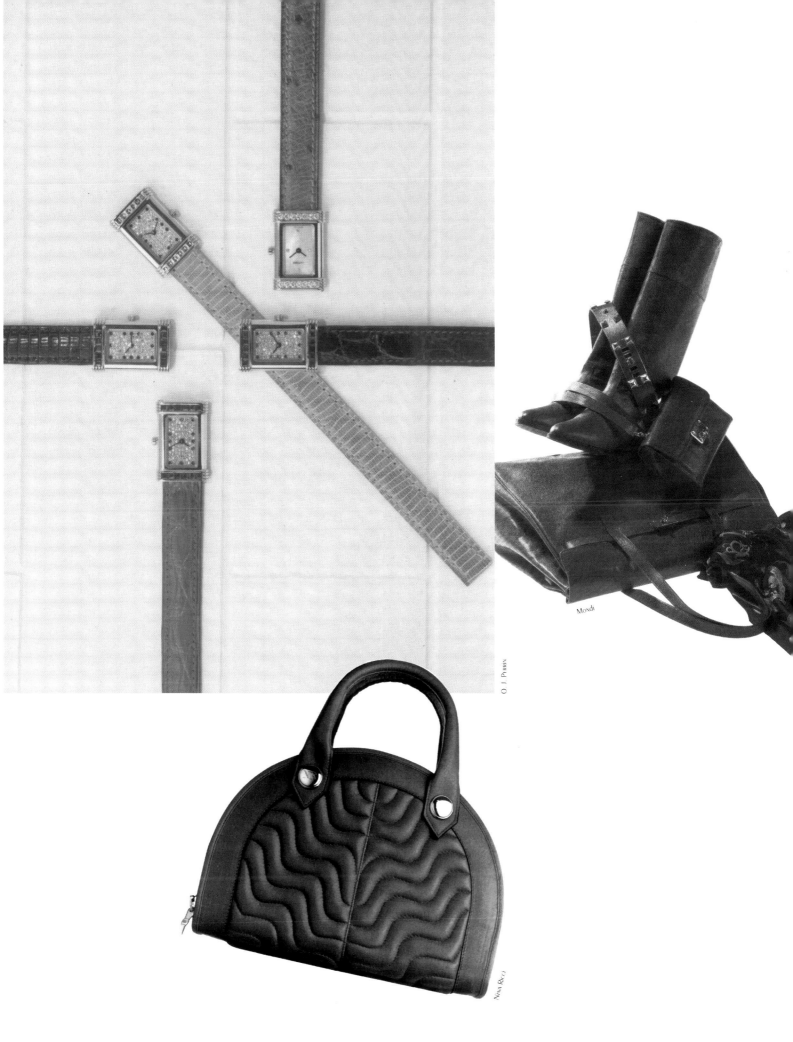

O. J. Perrin

Mondi

Nina Ricci

et le maquillage, ...

LA ROMANTIQUE

Marie Carrière

Le visage de la femme romantique dégage une impression de douceur, de tendresse, de délicatesse. Son image se veut harmonieuse, douce et sensuelle.

1 Les légères imperfections de la peau sont camouflées par des crèmes correctrices : jaune sur les cernes sous les yeux; rose et en forme de V de chaque côté des yeux; verte pour éliminer les rougeurs.

2 Un fond de teint léger, à base d'eau, de la même couleur que la peau, est appliqué sur tout le visage.

3 Un cache-cernes légèrement plus pâle que le fond de teint est appliqué en dessous des yeux et sur les ailes du nez.

4 Une poudre translucide diffusant la lumière de façon à estomper les rides est appliquée sur le visage pour fixer le fond de teint et donner un fini mat à la peau.

1
2
3
4
5
6
8
9
10

Fard à joues

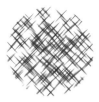

Crayon ligneur
ET MASCARA

Fond de teint

Ombre à paupières

Ombre à paupières

Ombre à paupières

Rouge à lèvres

Pierre McCann

Crayon à lèvres

5 Une touche de poudre rosée sur les joues, appliquée en mouvements rotatifs, accentue le côté romantique.

6 Le maquillage des yeux se compose de trois couleurs : une teinte pâle, légèrement rosée, sur toute la paupière, des cils aux sourcils; une teinte dans les verts, se rapprochant de la couleur des yeux, sur le pli entre la paupière mobile et la paupière; une teinte dans les violets, appliquée en V sur les coins externes des yeux, pour les faire ressortir.

7 Les sourcils sout brossés et légèrement teintés à l'aide d'une poudre à sourcils pour raviver leur couleur naturelle.

8 Un mascara brun est appliqué avec générosité pour souligner le regard tendre de la romantique.

9 La ligne naturelle des lèvres est soulignée au crayon contour rosé. Un rouge à lèvres de couleur prune complète l'harmonie.

...la coiffure, ...

La femme romantique choisira une coiffure sophistiquée qui encadrera son visage avec féminité et douceur.

Wella

...le parfum, ...

La femme romantique optera pour les parfums aux notes florales (sucrés et poudrés) et exotiques et ceux de la famille des chypre. On retrouve, dans ces parfums, des qualités premières telles le romantisme, l'harmonie, la richesse, la volupté, la densité et la vibration.

La romantique choisira parmi les parfums suivants : Anaïs, Byzance, Carolina Herrara, Chamade, Demi-jour, Kenzo, Laura Ashley Nina, N° 1, N° 19, O de Lancôme, Paris, Rive Gauche, Trésor.

Laura Ashley N° 1

En 1979, pour souligner les 25 ans de l'entreprise, la compagnie Laura Ashley crée une gamme de parfums. Cette excitante réalisation exprime l'esprit d'élégance qui caractérise la ligne de vêtements et accessoires Laura Ashley. Présentés dans des flacons aux motifs fleuris peints à la main, les parfums, eaux de parfum, eaux de toilette et produits pour le bain ajoutent une merveilleuse touche de bouquet floral dans la vie de la femme active et romantique d'aujourd'hui.

Kenzo

Kenzo est un parfum qui s'adresse à la femme moderne et plus encore... à la rêveuse romantique. Présenté dans un flacon aux formes douces et vaporeuses agrémenté de fleurs et de feuilles sculptées, on y retrouve un mélange d'orange, de mandarine et de bergamote, relevé de fragrances fleuries de magnolia, de gardénia, de tubéreuses, de ylang-ylang, d'iris blanc, de rose et d'arômes de mousse de chêne, de vanille, de cèdre, de santal et d'ambre. Une fragrance à la fois naturelle et paradoxale, à l'image de son créateur.

... des tenues pour toutes les occasions, ...

*Q*ue ce soit au grand jour, sous les lumières féériques d'une de ces soirées magiques ou lors d'une fin de semaine de détente, il existe des tenues pour toutes les occasions.

Une couleur identifie chacun de nos modèles : le jaune pour le jour, le bleu pour le soir et le vert pour la fin de semaine.

Laura Ashley

Laura Ashley

Kenzo collection prêt-à-porter 89/90

1
2
3
4
5
6
7
8
9
10

Georges Rech

Laura Ashley

Roberto Delusco pour Marcelli Donan

...les bijoux et
les accessoires

Bijou de cœur ou
bijou-mode, chaussure
classique ou sandale,
sac à main ou sous bras,
chapeau, écharpe, carré
de soie, l'accessoire
demeure la touche finale
de l'élégance féminine.

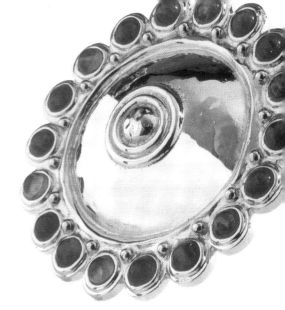

Christian Dior collection bijoux 1990

perles : Les perles Melisa
buste : Amandine, rue St-Denis
photo : Studio Michel Bodson

Mondi

NINA RICCI

CHRISTIAN DIOR collection bijoux 1990

1
2
3
4
5
6
7
8
9
10

CHRISTIAN LACROIX collection HAUTE COUTURE AUTOMNE/HIVER 90-91

Mondi

bijoux : AGATHA-PARIS, RUE LAURIER
photo : Studio Michel Bodson

CARRIÈRES

ALLURES, STYLES ET

Givenchy Nouvelle Boutique, collection printemps-été 89

Chloé collection printemps-été 91

EMANUEL UNGARO

CHRISTIAN DIOR BOUTIQUE, collection printemps-été 89

8

ALLURES, STYLES ET CARRIÈRES

Conscients du fait que les toutes premières secondes sont déterminantes, les gens sont de plus en plus préoccupés par leur apparence extérieure. Il est vrai que l'image de nous que l'on transmet aux autres de par notre façon de nous vêtir est tout aussi importante que notre savoir vivre, nos bonnes manières, nos connaissances et nos compétences.

Il n'est pas facile, pour une jeune femme à la recherche d'un premier emploi ou en quête d'une promotion, de savoir, d'instinct, comment se vêtir. L'époque où l'on suggérait d'imiter la tenue des gens qui réussissaient est révolue. On conseille plutôt maintenant de planifier, de préparer et de visualiser son allure en fonction de sa personnalité, tout comme on planifie, prépare et visualise son entrée ou son ascension sur le marché du travail.

Ce chapitre vous offre des suggestions susceptibles de vous aider à réaliser votre objectif, mais avant, il est important de connaître l'image que vous projetez et celle que vous aimeriez ou que vous devriez projeter.

LA FEMME À LA MAISO

Mondi

1
2
3
4
5
6
7
9
10

M énagères, mères de famille, collabora-
trices, professionnelles... bien des femmes sont
amenées à travailler chez elle.

Misez sur des coordonnés, des manteaux et des
vestes confortables et pratiques qui vous donneront une allure décontractée tout en soulignant
votre personnalité. Portez des vêtements de
qualité et faciles d'entretien ainsi que des
bottes et des souliers confortables.

Autofocus

Passez en revue tout ce que votre garde-robe
contient et planifiez vos dépenses avant de faire
de nouveaux achats. Sachez agencer vos jupes et
vos pantalons avec vos chemisiers et vos pulls.

Prévoyez une robe, ou encore un deux-pièces qui
est plus pratique, comme tenue plus habillée.

Laura Ashley

Mondi

Mondi

t oute personne qui exerce la profession d'ingénieur ou d'architecte est familière avec les formes et les couleurs et en connaît l'importance.

L'ARCHITECTURE ET L'INGÉNIERIE

Laura Ashley

Les formes et les couleurs jouent un rôle très primordial quand vient le temps de choisir des vête-ments qui rehaussent la personnalité. Vous devez habiller votre silhouette en fonction de sa forme. S'il vous arrive d'aller sur les chantiers, prévoyez des vêtements pratiques. Tenez votre agenda à jour et préparez la veille les vêtements que vous porterez le lendemain. Établissez un budget vêtements et misez sur l'achat de coordonnés qui vous permettront de projeter des allures différentes en fonction de vos humeurs et de vos besoins.

Mondi

Arthur Elgort pour Rive Gauche de Yves St-Laurent

Synonyme de Georges Rech

ournalistes, relationnistes, comédiennes, animatrices, artistes, publicistes, boutiquières, conseillères en mode, décoratrices, désigners, graphistes, étalagistes, photographes... bref, tout ce qui touche au monde des arts, de la communication et de la mode.

LES ARTS

Celles qui font partie du monde artistique, de la communication ou de la mode, ont la chance de pouvoir exprimer toutes les formes d'esthétismes à travers leur métier. Cette liberté d'expression se reflète également dans leur allure.

Le public considère souvent la femme qui travaille dans le monde des arts, comme étant unique et avant-gardiste. Pour lui, cette femme crée les modes. Il attend d'elle fantaisie, nouveauté, style, originalité...

Les coiffeuses au tempérament artistique s'insèrent aussi dans ce groupe de personnes. Elles laissent bien souvent libre cours à leur imagination sur le plan professionnel et sur le plan personnel, adoptent d'emblée les dernières tendances-modes et osent le jeu des couleurs tant pour leurs cheveux que pour leur maquillage.

G. Ferrari pour Sonia Rykiel

Collection Lanvin prêt-à-porter printemps/été 1991

1
2
3
4
5
6
7
8
9
10

Balenciaga automne-hiver 91-92

Marcelle Danan

Ci-contre, de haut en bas :
V. Sichov pour Nina Ricci Haute-Couture
automne-hiver 91/92
Kenzo automne-hiver 90-91
Kenzo automne-hiver 90-91

Ferrari pour Sonia Rykiel

Commis de banque, caissières, conseillères en finance, secrétaires, cadres, comptables... ces professions qui, autrefois, étaient synonyme d'austérité modifient leur image.

Conscientes de l'impact du décor sur la psychologie du personnel et des clients, les institutions financières réagissent et créent de nouveaux environnements qui se veulent beaucoup plus stimulants.

LA FINANCE

Quel que soit le poste occupé dans le monde de la finance, il est primordial de ne jamais oublier l'importance de la communication autant avec le public qu'avec les personnes qui travaillent aussi dans ce domaine.

La tenue vestimentaire est un langage efficace que l'employée doit apprendre à connaître. La compétence est loin d'être incompatible avec un certain sens de l'esthétisme agréable et de bon goût.

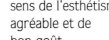

1
2
3
4
5
6
7
8
9
10

Laura Ashley

Irving Samuel

Juges, avocates, notaires... autant de professions autoritaires qui n'empêchent pas cependant une petite note de féminité.

Ce n'est pas par pur hasard que la toge est noire ! Cette couleur, synonyme d'autorité, neutralise les émotions, coupe les distractions durant les plaidoiries et place l'avocat de la défense et celui de la couronne sur un pied d'égalité.

LA JUSTICE

Une chance que le port de la toge n'est pas obligatoire au bureau de consultation ! Dès la première rencontre, les clients ont besoin de se sentir en confiance auprès de vous. Choisissez des vêtements d'allure classique, certes, puisque nous sommes en présence d'une profession rationnelle, mais dans des tons de votre choix qui sauront vous mettre en valeur.

Votre client appréciera une allure sympathique et sans prétention.

Benisty Pozzo pour Givenchy

Patrizia par Mondi

8

1
2
3
4
5
6
7
9
10

Maïresses, conseillères municipales, députées, ministres... la femme s'impose de plus en plus en politique.

Et tout comme l'homme politique, elle ne peut échapper à la règle du jeu : protocole, étiquette, tenue vestimentaire, gestuelle. Tous et toutes sont conscients de l'impact de leur image sur l'électorat.

LA POLITIQUE

Puisque rien ne peut être laissé au hasard, la femme en politique devrait avoir recours à un professionnel de l'image qui saura, tout en tenant compte du message qu'elle veut véhiculer, la guider tant sur le plan vestimentaire que sur sa façon de se présenter en public.

NINA RICCI BOUTIQUE

MAMORU SAKAMOTO POUR HANAE MORI HAUTE-COUTURE 90/91

LAURA ASHLEY

1
2
3
4
5
6
7
8
9
10

Réceptionnistes, commis de bureau, comptables informaticiennes, secrétaires, secrétaires exécutives, cadres, gestionnaires, fiscalistes, chefs d'entreprises... il existe plusieurs postes à l'intérieur d'une même entreprise.

Les gens se fient souvent au premier coup d'œil; votre allure doit donner une impression de confiance, de stabilité et de compétence. Il est donc important que le maquillage soit personnalisé, les vêtements impeccables et les accessoires (bas, bijoux etc.) bien assortis.

Il faut également porter une attention particulière à l'hygiène du corps et des cheveux. Un parfum discret

LE SECRÉTARIAT ET LA BUREAUTIQUE

apportera une touche de raffinement. Les portes de la réussite s'ouvriront probablement beaucoup plus devant une femme compétente et bien mise.

La femme cadre, qu'elle soit gestionnaire, chef d'entreprise ou autre, choisit ses vêtements en fonction de ses activités. Sa façon de se vêtir est souvent le fruit d'une recherche esthétique personnelle approfondie et cette femme se démarque par son élégance et la confiance en soi qu'elle projette.

La secrétaire exécutive travaille en général pour un seul patron. Cependant, elle est appelée à rencontrer beaucoup de monde et ses responsabilités sont multiples : voyages, dîners, congrès etc. Ses vêtements doivent donc être de qualité et son apparence des plus soignées.

La réceptionniste préposée à l'accueil des visiteurs se doit de représenter l'image de la firme pour laquelle elle travaille. Le type d'organisation peut jouer un rôle important dans la façon dont elle devra se présenter au public.

Patrizia par Mondi

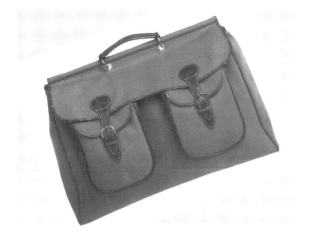

onseillères en croissance personnelle ou en ressources humaines, professeures, jardinières d'enfants, criminologues, psychologues, thérapeutes... le monde du service social touche bien des domaines.

La femme qui opte pour une de ces professions se soucie du bien-être des autres, ainsi que de leur équilibre et de leur bonheur. Elle est portée vers les autres par choix et par vocation.

LE SERVICE SOCIAL

On remarque souvent que les personnes qui œuvrent dans ces domaines portent souvent des couleurs neutres, voire froides. Ce pourrait être un moyen inconscient de se protéger des émotions et des problèmes d'autrui qui sont parfois difficiles à porter.

Il ne faut cependant pas oublier que certaines couleurs comme le pourpre, le violet, le bleu-vert, par exemple, ont des qualités d'énergie positive qui peuvent vous aider dans votre travail. Pour en savoir davantage, consultez notre chapitre sur les couleurs.

PATRIZIA PAR MONDI

PATRIZIA PAR MONDI

1
2
3
4
5
6
7
9
10

Marcelle Danan

Laura Ashley

ourtière en immobilier ou en assurances, agente de voyage, gérante, vendeuse au détail, commis de pharmacie... tout ce qui touche la vente est synonyme de communication !

LA VENTE

PACO RABANNE

LAURA ASHLEY

Vous avez choisi le monde de la vente, donc celui des échanges, de la communication. Vous devez convaincre, transmettre des messages par des stratégies de vente. Tant votre image verbale que votre image non verbale prennent une importance capitale.

Peu importe ce que vous vendez, vous devez avant tout mettre votre clientèle en confiance. N'oubliez pas que les premiers instants d'une rencontre sont décisifs alors... soignez votre présentation. Vos vêtements doivent refléter le milieu dans lequel vous évoluez et la clientèle que vous visez !

Balenciaga

Dominique Palombo pour Balmain Ivoire de Pierre Balmain

Mondi

Marcelle Davan

Femmes de métiers non traditionnels

Factrices, policières, chauffeures d'autobus, garagistes, agents de bord, pilotes... tous les métiers s'offrent aujourd'hui aux femmes.

LA FEMME EN UNIFORME

Bien souvent, dans les métiers autrefois réservés aux hommes qu'occupent de nos jours certaines femmes, le port de l'uniforme est obligatoire. Cependant, l'uniforme, créé au début exclusivement pour les hommes, n'est bien souvent pas à la fine pointe de l'élégance pour les femmes.

Il est donc important de miser sur une coupe de cheveux et sur un maquillage personnalisés qui sauront mettre en valeur toute votre féminité.

Et surtout, dès que vous ne portez pas l'uniforme, optez pour des teintes et des coupes entièrement différentes. Retrouvez votre vraie identité !

José Collin

1
2
3
4
5
6
7
9
10

Esthéticiennes, coiffeuses, maquilleuses, conseillères en beauté, médecins, chirurgiennes, chiropraticiennes, acupunctrices, dentistes, denturologues, diététistes, psychiatres, optométristes, infirmières... que de professions exigent la plupart du temps le port d'un uniforme !

Que vous décidiez de porter un uniforme ou non pour exercer votre profession, il est important de tenir compte de certains aspects pour mettre en valeur votre personnalité. L'esthéticienne, par exemple, dont la profession est axée sur le mieux-être, se doit d'être

Josée Collette

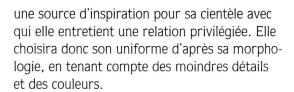

une source d'inspiration pour sa cientèle avec qui elle entretient une relation privilégiée. Elle choisira donc son uniforme d'après sa morphologie, en tenant compte des moindres détails et des couleurs.

Nous savons tous que l'hygiène est de rigueur dans le milieu médical et para-médical. Mais le blanc qui était source de pureté il y a quelques années, est aujourd'hui remplacé par des teintes pastel douces. Et chaque teinte a une signification bien précise dont vous pouvez tenir compte lors de vos prochains achats. Consultez notre tableau sur les couleurs et leurs significations pour en connaître davantage sur le sujet.

Couleur	Significations	Message
Blanc	Pureté libère des soucis	Individualité
Rose pâle	Tendresse, sympathie apaise la tension nerveuse	Responsabilité
Pêche	Gentillesse, charité, enthousiasme prévient la perte d'énergie	Dévouement
Jaune pâle	Communication, attirance vers les autres atténue l'état dépressif	Communication
Vert menthe	Modestie, calme, bienveillance apaise la tension nerveuse	Confiance en soi
Bleu pâle	Calme, détente combat la fatigue physique	Créativité
Bleu aqua	Sens de l'organisation, paix, tranquillité protège des soucis	Débrouillardise
Lilas	Délicatesse, sensibilité, réconfort diminue l'anxiété	Intuition

Et TENDANCES

TISSUS, TEXTILES

9

K. Miyata pour Pierre Cardin

Tissus : Les soies

TISSUS, TEXTILES ET TENDANCES

La matière est l'élément fondamental dans la confection d'un vêtement. Les créateurs s'en inspirent toujours pour créer une collection. Certains d'entre eux vont même jusqu'à dessiner leurs propres imprimés et composer leurs mélanges de fibres.

La spécificité d'un tissu, alliée au style, permettra souvent à un vêtement de prendre sa place sur le marché, soit en haute couture, en prêt-à-porter de luxe ou haut de gamme ou comme vêtement industriel ou de confections. Il ne faut pas oublier que ce sont les créateurs et les grands couturiers qui, par leurs collections de vêtements, créent les grandes tendances.

Les explications qui suivent vous permettront de vous familiariser avec les différentes fibres et, par le fait même, de vous guider lors de vos prochains achats. Selon le dictionnaire, un tissu est une surface obtenue par l'assemblage de fils entrelacés. Les fils sur la longueur forment la chaîne; les fils sur la largeur, la trame. Il existe, sur le marché, des tissus composés de fibres naturelles, synthétiques, artificielles ou d'un mélange de fibres. Certains textiles, tout comme certaines tendances d'ailleurs, semblent mieux correspondre à certains types de personnalités.

Dans les pages qui suivent, le monde de la couture et des grands couturiers s'offre à vous...

TISSUS : LES SOIES MARSHALL, PHOTO : PIERRE McCANN

Les tissus et les textiles

L'**alpaga** (fibre naturelle) est une fibre douce et soyeuse, très chaude tout en étant légère. Cette laine, à la fois rare et coûteuse, nous provient de l'alpaga, un animal voisin du lama, qui vit dans les Andes.

Souvent mélangée avec de la laine d'agneau, des fibres synthétiques, du coton ou de la rayonne, l'alpaga sert principalement à la fabrication de pantalons, de vestes, de jupes et de manteaux.

L'**angora** ou le **mohair** (fibre naturelle) est une fibre animale aux poils longs et soyeux, provenant de chèvres, de chats et de lapins angoras, originaires d'une ville de Turquie aujourd'hui appelée Ankora. On la retrouve généralement dans les tricots, les chandails et les écharpes. D'une douceur et d'une délicatesse incomparables, elle garde bien au chaud.

Le **cachemire** (fibre naturelle) provient des chèvres du Cachemire et des chèvres sauvages du Tibet. Ce tissu fin, en chaînes, en trames ou en mailles, d'une douceur et d'une légèreté extrêmes, tient chaud sans jamais se froisser. Il se retrouve dans les écharpes, les vestes et les manteaux. Très coûteux à l'achat, il est cependant presque inusable.

Le **coton** (fibre naturelle) est une fibre végétale qui entoure les graines de cotonnier. Les principaux pays où l'on cultive le coton sont : le sud des États-Unis, la C.E.I., la Chine, le Mexique, le Brésil, l'Égypte, le Pakistan, la Turquie.

Dès le XIXe siècle, le coton était reconnu pour son confort extraordinaire. Il absorbe l'humidité et est facile d'entretien, surtout depuis qu'il est traité chimiquement. Les tissus de coton les plus populaires sont la popeline, la batiste, le piqué, le velours côtelé, le denim et le chintz.

Le **denim** est un tissu originaire de Nîmes. La serge de Nîmes, que les Américains auraient baptisée « denim », est utilisée dans la fabrication de jeans et de vestes qui se retrouvent, aujourd'hui,

dans 90 % des garde-robes, et ce, dans tous les pays du monde. Même les plus grands couturiers se laissent séduire par ce tissu durable, confortable, facile d'entretien et économique.

La **flanelle**, tissu de laine, est un des grands classiques de l'habillement masculin. L'impeccable pantalon ou jupe en flanelle grise ne passe pas de mode. Tissu d'hiver par excellence, de la chemise à carreaux à la robe de nuit, la flanelle est un tissu doux et confortable, facile d'entretien et des plus abordables.

La **gabardine** est une étoffe de laine à côtes en relief, infroissable et imperméabilisée. Elle sert à la fabrication de tailleurs, de pantalons, de manteaux et de parkas. Le mot gabardine désigne aussi un manteau en tissu imperméable, coûteux à l'achat, mais inusable.

La **laine** (fibre naturelle) une fibre animale épaisse, douce et frisée qui provient de la toison de diverses espèces de moutons, permet la fabrication de vêtements tissés ou tricotés. Seules les laines de première qualité et de nouvelles tontes sont appelées « pure laine vierge ». On utilise cette fibre dans la fabrication de manteaux, de robes, de vestes, de jupes, de pantalons, de chandails et d'accessoires. D'entretien facile, elle est offerte dans un grand éventail de prix.

Le **lamé** ou **lurex** (fibre synthétique) est un tissu orné de minces lames dorées ou argentées ou dont le tissage comporte des fils métalliques. Cette fibre métallisée nous rappelle les grands bals et les soirs de première.

Le **lin** (fibre naturelle) est la plus ancienne fibre connue au monde. Les Égyptiens s'en servaient déjà dans la fabrication des tuniques des pharaons. Fibre végétale aux fleurs bleues, le lin est cultivé dans des régions tempérées. On la retrouve, par tradition, dans la fabrication du linge de maison. Ses qualités de solidité et d'absorption sont incomparables. La région de Belfast, en Irlande, est réputée pour la qualité et la finesse de sa toile de lin.

Dans le domaine de la mode, bien qu'il soit très froissable, le lin est le préféré des Méditerranéens à cause de sa fraîcheur. On le retrouve de plus en plus au Canada.

Laura Ashley

Le **loden** est un lainage imperméable, épais et feutré. On le retrouve habituellement dans les tons de vert olive, de kaki, de brun-vert et, depuis peu, de bleu marine. Originaire d'Autriche, on l'utilise dans la fabrication des manteaux, des capes, des vestes et des costumes folkloriques. La marque allemande de vêtements en loden « Loden Frey » est la plus répandue en Allemagne et en Autriche. Le loden demeure un grand classique inusable et confortable, mais très coûteux.

Le **lycra** (fibre synthétique) est une fibre d'élastomère et de polyuréthanne. De par sa souplesse et son élasticité, on l'utilise dans la fabrication de maillots de bain et de plus en plus dans la fabrication de vêtements pour le sport. Très confortable, ce tissu permet une entière liberté de mouvements.

La **mousseline de soie** est une étoffe merveilleuse. Qu'elle soit de laine, de coton ou de soie, la mousseline, toujours très claire, est une toile d'une finesse et d'une souplesse remarquables. Légère comme le vent, ne se froissant pas et séchant rapidement, on la retrouve surtout dans les vêtements d'été délicats et coûteux.

Le **nylon** (fibre synthétique), inventé en 1938 par l'Américain Wallace Carothers, est un super polyamide obtenu au moyen de sous-produits du goudron. Souvent mélangé à d'autres fibres ou fils, naturels ou non. Infroissable, il est utilisé dans différents types de vêtements.

L'**organdi** est une mousseline de coton très légère et très claire, affermie grâce à un apprêt spécial. Il est idéal pour les robes de cérémonie, les robes de mariées, etc.

Le **poil de chameau** (fibre naturelle) est une très belle fibre, d'une qualité et d'une solidité exceptionnelles, récoltée l'été, par les chameliers, à la mue des chameaux. Chaque chameau produit entre deux et quatre kilos de poils par an. Les vêtements fabriqués en poil de chameau (capes, vestes, manteaux) sont infroissables, chauds et des plus résistants.

Les **polyesters** (fibres synthétiques) inventés en 1950, sont des fibres obtenues chimiquement et connues sous différents noms : tergal, trivira, diolen, fidion. Tous sont lavables à la machine.

La **popeline** est un tissu serré à armure, formant des côtes dans le sens de la chaîne. Elle était autrefois nommée « lin du pape », en ancien français « papeline ». D'un prix abordable, la popeline s'utilise dans la fabrication de chemises pour hommes, de blouses et de robes d'été.

La **rayonne** (fibre artificielle) est composée de fils textiles continus réalisés en viscose (solution colloïdale de cellulose et de soude) ayant l'apparence de la soie. Les Britanniques Cross, Beuvant et Beadle ont découvert cette soie artificielle en 1892. C'est pour éviter toute confusion avec la soie naturelle qu'elle a été baptisée, en 1924, rayonne.

Les premières chaussettes en rayonne firent leur apparition en 1912, bientôt suivies d'articles de lingerie et de bonneterie. De nos jours, cette fibre populaire sert à la fabrication de bien des vêtements.

La **soie** est la fibre naturelle la plus coûteuse, la plus solide et la plus douce qui soit. Elle provient du ver à soie, le Bombyx mori. Son prix élevé s'explique par la main-d'oeuvre importante nécessaire à l'élevage et au traitement des cocons du ver à soie. Les propriétés de cette fibre ont été découvertes en Chine, il y a 4 000 ans environ. Il existe deux grands centres européens de tissage de la soie : un à Lyon (France) et l'autre à Côme (Italie).

La souplesse de la soie donne aux vêtements une allure et un confort incomparables; rien n'est plus élégant que la pure soie. On la retrouve dans la fabrication des chemisiers, des écharpes, des jupes, des robes drapées des grands couturiers, etc.

Le **tartan** est une étoffe de laine à larges carreaux de diverses couleurs, fabriquée en Écosse. Il est difficile d'en situer l'origine. On raconte qu'au XVIIIe siècle, les Écossais s'emmitouflaient dans des couvertures pour se protéger du froid. Ils ont eu alors l'idée de partager cette couverture en deux pour en faire une jupe et une étole. Le tartan nous rappelle, au premier coup d'œil, le kilt, cette jupe plissée que portent les Écossais. C'est un tissu réversible, chaud et infroissable.

Le **tweed** serait, semble-t-il, une mauvaise interprétation du mot « tweel » ou « twill ». Ce tissus de laine irrégulier tant à l'apparence qu'au toucher, s'obtient par un tissage passant sur deux ou trois fils de trame à la fois au lieu de passer sur un seul fil. Cette méthode est appliquée pour les tissus de laine fabriqués en Écosse où coule la rivière Tweed, ce qui expliquerait peut-être son appellation actuelle.

Le **taffetas**, mot persan, est une toile légère de soie ou de fibres synthétiques. les reliefs irisés de cette toile sont obtenus au tissage, par une chaîne et une trame de couleurs différentes. Le taffetas, magnifique tissu de soie aux bruits caressants, est très recherché pour la fabrication de robes de gala, de robes de bal, etc.

Le **velours** est une étoffe agréable au toucher, rase d'un côté et velue de l'autre. Il peut provenir de la soie, du coton ou de la rayonne. Le velours de soie, le plus spectaculaire, mais aussi le plus fragile des velours, entre habituellement dans la création de robes du soir.

La **dentelle** à l'aiguille fut inventée à Venise, vers 1540. Au milieu du XVIe siècle, l'art de la dentelle s'est répandu au nord de l'Italie, en Belgique, à Paris, en Espagne et en Suisse. À cette époque, en France, seules les personnes de haut rang portaient de la dentelle.

Les plus belles dentelles se trouvent en Europe. Elles séduisent les sommités du monde de la mode et font partie des collections des plus grands couturiers, créateurs et stylistes. Elles sont associées aux matières les plus diverses, se portent le jour comme la nuit et en toutes saisons.

Les tissus selon votre personnalité

Certains tissus conviennent mieux que d'autres à certains types de personnalité.

La **dramatique**, qui souhaite toujours être à la fine pointe de la mode, préférera la laine, le lin, le lurex, la gabardine, le poil de chameau, le taffetas, l'organdi et le velours de soie.

La **sportive**, qui recherche avant tout le côté pratique et décontracté, choisira le coton, le cachemire, la laine, le lin, la gabardine, le loden, le lycra, le polyester, la rayonne, le tartan, le denim, la flanelle, le tweed et le velours côtelé.

La **classique**, qui ne lésine pas quant à l'élégance et à la qualité de ses vêtements, optera pour l'alpaga, le cachemire, la laine, la soie naturelle, la gabardine, la flanelle, le loden, la popeline et le velours de soie.

La **romantique**, empreinte de ce petit côté théâtral qui reflète à merveille son portrait passionné, recherchera d'office l'angora, le cachemire, la laine, la soie naturelle ou artificielle, la dentelle, la rayonne, le lurex, le nylon, la mousseline, l'organdi, le taffetas et le velours de soie.

LA PLACE DE LA MODE

L a mode prend sa place, sur le marché, de quatre façons différentes : la **haute couture**, le **prêt-à-porter de luxe**, le **prêt-à-porter haut de gamme** et les **vêtements industriels** ou de confection.

La **haute couture** n'existe pas au Canada. Seulement 25 maisons de haute couture sont membres de la Chambre syndicale de la haute couture parisienne. Pour accéder à ce rang, il faut employer 20 personnes ou plus dans les ateliers; deux fois par année, présenter à la presse à Paris, une collection d'au moins 75 modèles sur trois mannequins vivants et présenter la même collection un minimum de 45 fois par an à la clientèle privée dans le salon de la maison de haute couture.

Les collections haute couture sont des laboratoires d'idées réalisées à la main en ateliers, où toutes les audaces sont permises, mais que seulement 2 000 femmes privilégiées au monde pourront s'offrir. La moindre robe coûtant facilement 5 000 $, la robe du soir n'a pas de prix !

Le **prêt-à-porter de luxe** se retrouve au Canada, dans une vingtaine de boutiques franchisées ou indépendantes. Ces collections de grands couturiers et créateurs se vendent à des prix légèrement plus abordables que les vêtements de haute couture puisqu'un tailleur se détaille à 3 000 $ environ.

Le **prêt-à-porter haut de gamme**, fabriqué au Canada ou importé, se retrouve à travers le pays, dans les boutiques et les grands magasins. Bien que ce produit soit de plus grande consommation, puisqu'un tailleur coûte environ 700 $, il ne représente que 5 % du marché du vêtement pour les femmes.

Les **vêtements industriels** ou de **confections** sont fabriqués en série et selon des tailles normalisées. La confection de masse se retrouve dans les chaînes de boutiques, dans les grandes surfaces, dans les catalogues de vente par correspondance, dans les défilés de mode à domicile.

Nina Ricci Boutique, prêt à porter automne-hiver 90/91

Nina Ricci, prêt à porter automne-hiver 91/92

C'est grâce à cette production que la consommatrice peut avoir l'impression de porter les collections des grands couturiers sans grever son budget.

Simon Chang

Nina Ricci Boutique, prêt à porter automne-hiver 90/91

LES GRANDES TENDANCES

La mode est issue de profonds mouvements sociologiques dont les créateurs et les couturiers se font l'écho.

C'est à Paris, capitale incontestée de la mode, que se canalisent les talents des créateurs venus des quatre coins du monde. Le résultat de leur travail et de leurs réflexions se traduit en collections de vêtements qui sont le point tournant de ce que l'on peut appeler tendance.

D'après la Fédération française du prêt-à-porter féminin, «...une tendance est une synthèse de mouvements culturels, sociologiques, philosophiques et esthétiques qui va s'exprimer d'une façon éphémère au travers d'une mode qui est l'émergence de ce courant profond...»

«...lorsqu'une tendance est proposée comme base de travail pour les industriels de la mode, il faut systématiquement lui recréer un environnement cohérent, qui est l'univers de la clientèle...»

«...cette démarche marketing a pour vocation de donner aux producteurs un schéma directeur pour monter leurs collections non comme une succession de pièces mais comme un concept où le vêtement devient leader dans le mode d'expression du consommateur...»

«...c'est une approche multiproduits qui résulte d'une analyse globale des grands courants créateurs observés dans tous les secteurs de création : mobilier, architecture, art, culture et philosophie...»

Les illustrations qui suivent à titre d'exemples, sont la synthèse des tendances, jumelées à nos personnalités types, qui se sont exprimées au stade du tissu, puis qui ont été développées en donnant toutes les indications d'accessoires, de détails stylistiques, de tissus et de couleurs.

Simon Chang

Lanvin, Haute-Couture automne-hiver 90/91 par Claude Montana

Hanae Mori

Tendance automne-hiver

La femme baroque

LA ROMANTIQUE

L'automne comme l'hiver, la femme romantique adore l'extravagance et les multiples détails. Ses tenues et ses accessoires sont ornés de lamé, de broderie, d'effets orientaux et de matelassé.

Sa garde-robe se compose, en majeure partie, de brocards riches et travaillés, de velours, de dentelle, de chenille aux imprimés de cachemire, de fleurs, de motifs du Moyen Âge et d'armoiries.

Elle aime les couleurs riches et variées : le rouge, le vert émeraude, le bleu canard, le turquoise, le bordeaux, le violet, le prune ainsi que plusieurs gammes de verts.

On la verra souvent porter une veste matelassée sur un pantalon fuseau ou sur un caleçon, ses jupes sont fluides et plissées, ses pantalons souples. Elle aime bien les cols châles, les pulls, les manteaux et les capes.

Ses vêtements, riches et soyeux, sont ornés de broderies, de lamés, de dentelles et de fausse-fourrure.

LA FEMME BAROQUE

Conception et réalisation : Dominique Lorieux, Triade pour le Salon International du prêt-à-porter féminin

BAROQUE

Tendance automne-hiver

La femme abstraite

LA DRAMATIQUE

L'automne et l'hiver, la femme dramatique adopte une mode à l'allure résolument moderne, très couture, aux formes abstraites et géométriques pures.

Sa garde-robe se compose entre autres de vêtements sport jeunes et toniques aux coupes précises et aux couleurs sobres et gaies.

La femme dramatique choisit d'emblée le stretch aux couleurs criardes, le jersey, le velours, le lurex, le lycra, le nylon, le satin, la laine aux imprimés graphiques et modernes, abstraits, géométriques ou floraux.

En couleur, elle opte pour les contrastes : le blanc et le noir, les couleurs criardes comme le rouge vermillon, le jaune absinthe, le bleu cobalt, le violet et l'orange.

Elle aime les formes épurées d'allure dramatique, moulantes ou amples comme le fuseau et le trapèze. Elle porte des blousons spencers courts, des vestes structurées courtes ou évasées aux trois-quarts, des combinaisons, des shorts, des mini-jupes.

Ses vêtements sont ornés de capuchons ou de cagoules, de fermetures éclair ou de boutons-pression.

LA FEMMEABSTRAITE

Conception et réalisation : Dominique Lorieux, triade pour le Salon International du prêt-à-porter féminin

ART GALLERY

Tendance automne-hiver

La femme de tête

LA CLASSIQUE

Toujours fidèle à son image, l'automne et l'hiver, la femme classique optera pour des vêtements sobres et conservateurs. Toujours élégante, son allure est quelquefois empruntée aux uniformes militaires.

La femme classique se tourne vers les tissus secs, plats, denses comme la gabardine, le drap, la flanelle, les chinés aux imprimés pied de poule, le prince-de-Galles et les rayures.

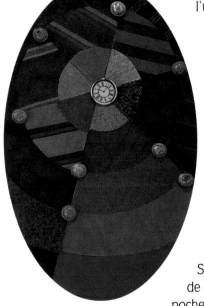

Elle s'inspire, dans ses couleurs, de l'uniforme militaire. Toutes seront sombres ou grisées. On retrouve donc tous les bleu acier, le bleu canard, le bleu marine, le bleu encre.

La femme classique se sent attirée par les tailleurs, les vestes de coupe masculine, les blazers, les jupes-culottes, les jupes plissées, les jupes droites, les pantalons de coupe classique, les manteaux redingote et les capes.

Ses vêtements s'ornent de boutons dorés, de poches plaquées, de galons de type uniforme, de broches-bijoux sobres.

1
2
3
4
5
6
7
8

LA FEMME DE TÊTE

Conception et réalisation : Dominique Lorieux, triade pour le Salon International du prêt-à-porter féminin

HEADQUARTERS

Tendance automne-hiver

La femme tranquille

LA SPORTIVE

Pour l'hiver et l'automne, une mode imprégnée du courant écologique ambiant convient à merveille à la femme sportive, authentique et tranquille. Les carreaux anglais et les laines écossaises vont de pair avec le style décontracté de ce type de femme, moitié héroïne de roman anglais moitié pionnière américaine, qui vit en accord avec la nature. L'allure de ses vêtements, le choix de ses tissus et des formes sont empruntés à la mode masculine.

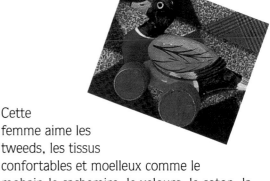

Cette femme aime les tweeds, les tissus confortables et moelleux comme le mohair, le cachemire, le velours, le coton, la flanelle, le jersey, les chinés, les laines aux imprimés cachemire, fleurs, fougères ou fauves.

Tous les tons de la nature automnale lui conviennent parfaitement (rouille, brun, kaki, jaune moutarde, vert sapin, poil de chameau, safran) ainsi que des tons doux (pastel grisé, bleu gris, vert pâle, bois de rose, parme, tilleul).

La femme sportive affectionne tout particulièrement les broderies et les tricots, les cols contrastés, les boutons en daim ou rustiques, le mélange de matières naturelles, bois, cornes, etc.

De nature à la fois sportive et quelque peu rétro, ce type de femme optera pour des vestes de chasse ou de style équitation, des manteaux à capeline ou des capes, des jupes longues et droites portefeuille, des jupes-culottes, des pulls et des chemisiers à lavallière.

LA FEMME TRANQUILLE

PIONEER

LA ROMANTIQUE

Au printemps et en été, la femme romantique est une adepte de la mode fraîche et fleurie empreinte de féminité et de romantisme parfois désuet.

Jardins de province

Elle choisit des bleus camaïeux, des pastel irisés, des bois de rose, du bleu ciel sur fond écru.

On retrouve, dans sa garde-robe, une profusion de tissus et d'imprimés : cotonnade, cretonne, chintz, voile de coton, crêpe, soie aux imprimés de fleurs ou de fruits. Beaucoup sont ornés de dentelle.

Ses lignes sont féminines; on y retrouve souvent des effets de décolletés. Elle porte entre autres la jupe paysanne, le jupon, le bustier, la robe tablier.

Ses bijoux seront petits et délicats, à motifs de fruits ou de fleurs; ses boutons seront en forme de fleurs, etc.

JARDINS DE PROVINCE

VEGETAL

SOUVENIRS DU FUTUR

CONCEPTION ET RÉALISATION : DOMINIQUE LORIEUX, IRIADE POUR LE SALON INTERNATIONAL DU PRÊT-À-PORTER FÉMININ

SPATIAL

L e printemps et l'été apportent, à la femme dramatique, une allure futuriste de par ses matières et rétro de par ses formes. Cette mode, inspirée de grands couturiers comme Courrèges, Cardin ou Paco Rabanne, comporte des tenues idéales pour la femme moderne et active.

Souvenirs du futur

Elle préférera des tissus modernes, unis avec des effets de texture : les piqués, les crêpés, les froissés aux imprimés à nuages, nuancés, inspirés des signes du zodiaque.

Les contrastes l'attirent : le blanc et le noir, ainsi que les teintes de gris, le bleu gris, le bleu acier, le bleu aqua et les métalliques argentés.

Elle se sentira bien dans des formes nettes, très près du corps telles la robe trapèze, la veste et le blouson courts, le spencer cintré, les caleçons et les shorts.

Elle portera des bijoux en verre, en argent, en forme de soleil, de lune, d'étoiles et de galaxies.

LA DRAMATIQUE

Tendances printemps-été

LA CLASSIQUE

Le printemps et l'été, la garde-robe estivale de la femme classique s'inspire, entre autres, des profondeurs marines.

Le monde du silence

On y retrouve toutes les couleurs de la faune marine : le bleu, le vert, le bleu marine, l'indigo, le cobalt, le vert émeraude, le turquoise, le bleu aqua, avec quelques touches de bordeaux, de rouge et de jaune.

Elle préfère le lin uni, les cotonnades à petits imprimés : batiks, poissons, coquillages, rayures.

Pour les vacances, elle optera pour des vêtements moins conservateurs. Elle portera la veste matelot, le pantalon à pont, le col marin, la marinière, la grande chemise, le T-shirt, souvent ornés de boutons marins ou bicolores et d'écussons.

Pour compléter le tout, la femme classique, porte de petits bijoux sobres, en métal doré ou des pierres dont la forme s'inspire de la faune marine.

LE MONDE DU SILENCE

AQUATIC

CARNETS D'AFRIQUE

CONCEPTION ET RÉALISATION : DOMINIQUE LORIEUX, IRIADE POUR LE SALON INTERNATIONAL DU PRÊT-A-PORTER FÉMININ

MINERAL

L'été, la femme sportive suivra une mode à thème écologique, inspirée des grands espaces arides et désertiques. Ce sera une invitation à la vie en plein air, au voyage, à l'exploration et à la découverte.

Carnet d'Afrique

Ses matières préférées seront des tissus à effet de tissage, le lin, la jute, le coton épais, la soie brute aux imprimés primitifs : batiks, boubous africains, animaux.

Elle aimera surtout les tons de terre, les harmonies minérales, les marbrés; les couleurs paille, écru, terra-cota, brique, rouille, vert, kaki, brun, ébène.

La silhouette sera une combinaison de vêtements amples et de vêtements moulants, allant de la grande chemise à la jupe longue, en passant par la veste saharienne, les caleçons et les shorts.

Elle affectionne tout particulièrement les bijoux de matières brutes et naturelles telles que le raphia, le bois, la corne, la paille, le métal, les cailloux d'inspiration ethnique.

LA SPORTIVE

CRÉATEURS D'ICI
Et D'AILLEURS

Simon

imon Chang, designer
canadien, est une
véritable légende dans
monde de la mode. Flair
énergie contribuent à en
ire un créateur tout à fait
nique. Sa philosophie est
ée sur le raffinement. Ses
llections de prêt-à-porter :
othes to you, Simon
hirts, International Tyfoon
Simon Chang pour
rodkin, lui permettent de
hisser au rang des
eilleurs designers. Il est
aintenant connu pour son
iquette, La collection
mon Chang, synonyme
insolite, de vivacité et de
ontanéité.

Un vêtement ou un
accessoire Simon
Chang permet de
pénétrer dans son
univers où l'on retrouve
vêtements sports, robes
du jour ou du soir,
ceintures, écharpes,
bijoux, chapeaux,
socquettes et bas fins,
lunettes de soleil,
fourrures, montres, sacs
et accessoires de voyage.

Vivre la légende Simon
Chang, c'est s'offrir les
mystères de l'Orient alliés
à la dynamique nord-
américaine. Le nom Simon
Chang est associé à une
force active et inspirée.

CHANG

SIMON CHANG.

Marcelle

arcelle Danan née à Marrakech en 1946, manifeste très jeune son térêt pour la mode. Dès ge de 10 ans, elle transrme, personnalise et conctionne sa garde-robe au rand complet.

rès des études en psychogie à la Sorbonne, à Paris, le épouse Henri Dunan, uis émigre à Montréal en 973. Elle ne tarde pas à ettre à profit ses talents lance, en 1982, la griffe akano destinée à la femme s années 1990.

s créations s'adressent rtout aux femmes qui lui ssemblent, c'est-à-dire x femmes dynamiques, atiques, sûres d'elles.

Marcelle Danan conçoit des outils qui donnent à la femme d'aujourd'hui le goût et la possibilité de créer son propre style. Son dernier concept, Les indispensables, comporte des vêtements de mailles simples et de qualité qui peuvent se démultiplier à volonté. Ces vêtements conviennent à tous car, pour Marcelle Danan, ce n'est pas le vêtement qui habite la femme, mais la femme qui habite le vêtement.

DANAN

MARCELLE DANAN

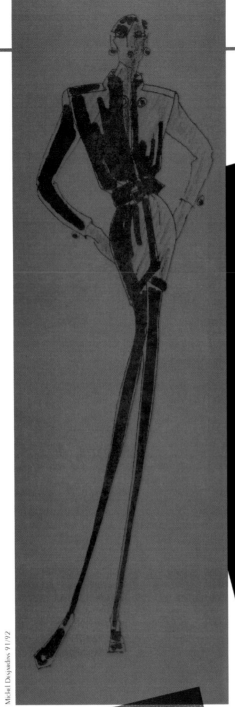

Michel Desjardins 91/92

Philippe Guillard

Michel

Michel Desjardins 91/92

près une année d'université en architecture, Michel Desjardins entreprend des études de mode à Montréal. Diplômé du Collège Lasalle, il travaille pour plusieurs maisons québécoises dont Parachute, Michel Robichaud et Léo Chevalier. En 1984, il est engagé à la maison de haute couture Givenchy. L'aventure parisienne débute.

En 1988, Michel Desjardins rentre à Montréal et ouvre sa maison de prêt-à-porter. Il se fie uniquement à son flair et fuit les tendances imposées.

En octobre 1990, il représente le Québec au septième Festival international du lin à Paris.

Amoureux de l'élégance, Michel Desjardins crée des silhouettes précises, structurées, féminines et destinées aux femmes de caractère.

Michel Desjardins, la maison du Lin

DESJARDINS

MICHEL DESJARDINS

Jean Claude

Les Paparazzi

1
2
3
4
5
6
7
8
9

Jean Claude Poitras, québécois et perfectionniste dans l'âme, défenseur du patrimoine et profondément attaché à sa culture, témoigne ici de son art, et sa réputation traverse de plus en plus nos frontières.

En 20 ans, non sans peine, Jean Claude Poitras s'est construit un univers esthétique et commercial original, unique en son genre. Il a choisi la mode pour exprimer sa créativité, saison après saison.

Après des études à l'École des métiers commerciaux de Montréal, on le retrouve, en 1971, dans son atelier du Vieux Montréal «Parenthèse» et, pour boucler ses fins de mois, il entre chez Eaton où l'on ne tarde pas à lui assigner toutes sortes de tâches : vendre, acheter, décorer, organiser des événements, etc.

Mais Jean Claude Poitras, qui a envie de s'exprimer totale-ment et d'assumer ses propres créations ne résiste pas à l'offre du manufacturier Beverini et signe BOF en 1971.

Son style clair, net et personnel plaît d'emblée; on le reconnaît entre tous. Durant plusieurs années, Jean Claude Poitras produit ses collections saisonnières avec les Importations Frank et crée, en parallèle, des manteaux en peau lainée et une collection de pelisses et de manteaux de fourrure pour hommes et femmes. Poitras Design qui naît en 1987, confère au créateur sa véritable autonomie créatrice.

À l'occasion du Festival international du lin, à Monte Carlo, Jean Claude Poitras reçoit le fil d'Or, une des plus hautes récompenses remises aux créateurs pour souligner leur talent et leur loyauté au lin.

Jean Claude Poitras souhaite une mode à l'image de la fem-me. Cette dernière le connaît, le reconnaît et l'apprécie pour son style unique. Les hommes ont déjà eu eux aussi un coup de cœur pour ses longs impers et ses vestons déstructurés et colorés.

Aujourd'hui, Poitras Design, en association avec le manufacturier Irving Samuel Canada Inc. a le vent dans les voiles. Cette fusion permettra à Jean Claude Poitras, qui en est le vice-président exécutif, d'élargir son champ d'activités.

POITRAS

Jean Claude Poitras
DESIGN

Irving

Irving Samuel s'est taillé une place de choix dans le monde de la mode canadienne. Sa réputation dépasse nos frontières.

Dès son origine, la maison, fondée en 1946 par Samuel L. Workman, s'est fixée des critères de style et de qualité.

La tradition Irving Samuel, qui s'inspire des grands courants internationaux, en est une de classicisme et d'élégance raffinée. Un vêtement qui porte cette griffe est synonyme de rigueur dans la confection, et de créativité dans la coupe et les matières.

Les collections saisonnières visent à rejoindre la femme active, sophistiquée, soucieuse d'être à la page et toujours impeccablement mise.

Les vêtements Irving Samuel sont vendus dans les meilleurs magasins et boutiques d'Amérique du Nord.

SAMUEL

Irving Samuel

ETE 92.

Marie

Marie Saint Pierre est née à Montréal. Diplômée du Collège Lasalle, elle débute sa carrière en 1986, à l'âge de 25 ans. Depuis, sa réputation et sa renommée grandissantes traversent nos frontières.

Le coup d'envoi est donné en 1990, lorsque Woolmark Canada lui décerne un prix pour sa collection automne-hiver. Puis elle se classe troisième sur cent vingt-trois finalistes au Mecene Award de Los Angeles, avec sa collection de redingotes taille empire, en crêpe extensible.

Les collections de Marie Saint Pierre allient confort, style et féminité. Pour elle, le vêtement est communication. Son style distinctif rejoint la femme moderne et sophistiquée, celle qui ne craint pas de s'affirmer.

On peut trouver son prêt-à-porter et ses vêtements exclusifs à sa boutique-galerie, rue Saint-Denis, à Montréal.

PhotoGraphix

SAINT PIERRE

PhotoGraphix

Laura

L'entreprise Laura Ashley débute à Londres, en 1953. Bernard et Laura Ashley s'appliquent alors à créer des imprimés fleuris sur des napperons et des foulards. Le nom et les motifs Laura Ashley deviennent vite populaires. L'allure Laura Ashley est synonyme d'une vie passée à la campagne, simple, mais élégante.

En 1969, l'entreprise Laura Ashley annonce qu'elle se lance dans la fabrication de robes. Dès lors, elle connaît une très grande popularité.

Le linge de table, les couvre-lits, le papier peint, les vêtements et les parfums franchissent vite les frontières. En 1970, les boutiques Laura Ashley font leur apparition. Les techniques d'imprimés floraux deviennent de plus en plus efficaces et raffinées. En 1971, la première boutique Laura Ashley au Canada ouvre ses portes.

Lorsque Laura Ashley s'éteint, son fils, Dick Ashley, prend la relève. Depuis quelques années, le style des collections est légèrement modifié pour convenir davantage à la femme moderne et active et pour s'adapter un peu plus à la citadine.

ASHLEY

laura ashley

10

1
2
3
4
5
6
7
8
9

Inspirateur et maître des plus grands couturiers (Givenchy, Ungaro, Scherrer, Courrèges, et bien d'autres), Balenciaga, originaire d'Espagne, ouvre son premier atelier de couture à l'âge de 16 ans. Il adapte la mode parisienne à la femme espagnole.

Balenciaga s'installe à Paris au moment de la guerre civile. Dès le début, c'est l'affirmation de son style. Selon lui, un couturier doit être « architecte pour les plans, sculpteur pour la forme, peintre pour la couleur, musicien pour l'harmonie et philosophe pour la mesure ». En 1945, il change la silhouette des femmes : taille ajustée, épaules carrées. Il marque les époques… il provoque !

On compte, parmi ses plus fidèles clientes, la reine d'Espagne, la reine de Belgique, la duchesse de Windsor, Grace de Monaco.

« Balenciaga est le seul couturier, le seul à pouvoir dessiner, couper, assembler et coudre une robe entièrement par lui-même », disait de lui Coco Chanel. Le grand couturier fait sa dernière apparition en public à Paris, à l'enterrement de Coco Chanel. Il s'éteint à Valence, en 1972. Sa griffe renaît cependant avec éclat grâce au merveilleux travail de ses disciples, Jacques et Régine Konckier. De plus, ils ont créé des parfums de grande marque tels que Bogart, de Viris, Ted Lapidus, Rumba.

BALENCIAGA

BALENCIAGA
PARIS

Ivoire de Pierre Balmain

Dominique Palombo pour la collection Balmain Ivoire

Pierre

Dominique Palombo pour la collection Balmain Ivoire

Pierre Balmain est né en Savoie, en 1914. Il débute sa carrière dans la mode chez Molyneux, en 1934. Il y découvre les vertus de l'apparente simplicité, apprend à maîtriser sa sensibilité de coloriste et développe son penchant pour tous les raffinements de luxe. À la même époque, il travaille en collaboration étroite avec Christian Dior.

Pierre Balmain ouvre sa maison de couture en 1945. La célébrité lui sourit et il ne cesse de parcourir le monde avec ses manne-quins. Son style est opulent, sans être tape-à-l'œil. Il habille les gens de La haute, les vedettes (de la scène et de l'écran), les femmes les plus élégantes au monde. Il s'éteint en juin 1982.

Ses parfums ont conquis le cœur des femmes de tout âge :

- Ely 64 83, dédié à sa mère

- Vent Vert, à l'intention de la femme sportive

- Jolie Madame, pour la femme élégante et sophistiquée

- Miss Balmain, pour les femmes jeunes et enthousiastes

- Ivoire, un hommage à la beauté de la femme.

Aujourd'hui, la maison Balmain distribue des accessoires de mode et le prêt-à-porter féminin et masculin dans le monde entier.

Dominique Palombo pour la collection Balmain Ivoire

Erik Mortensen pour la collection Balmain Ivoire

BALMAIN

PIERRE BALMAIN
PARIS

Anne Marie

La principale préoccupation d'Anne-Marie Beretta est de concilier formes et volumes, fibres et couleurs.

« La chose la plus importante, déclare-t-elle, est l'équilibre entre un tissu, une forme et la nouvelle femme qui naîtra de ce vêtement ». Son désir le plus profond est de traduire, par ses vêtements, l'harmonie entre le corps et l'âme.

Anne-Marie Beretta libère le corps et épure les formes pour valoriser davantage la liberté du geste. Elle utilise les matières naturelles qui défient les temps et dont on ne se lasse jamais : lin, soie, laine, mohair, cachemire, cuir et peau. Les teintes qu'elle choisit se rapprochent de la nature. Parmi elles, les brun sombre, les sable pâle, les ocre et les vert profond demeurent ses préférées.

En plus des vêtements, Anne-Marie Beretta crée des accessoires : ceintures, chaussures, lunettes et bijoux. Elle a aussi conçu une collection d'assiettes pour égayer les tables et les rendre plus généreuses. Sa griffe existe depuis 1974.

SÉRIE L'ASSIETTE BRISÉE

BERETTA

JEAN-JACQUES COLLOT

SÉRIE L'ASSIETTE BRISÉE

ANNE MARIE BERETTA

Myata pour collection Pierre Cardin H.C. printemps-été 90

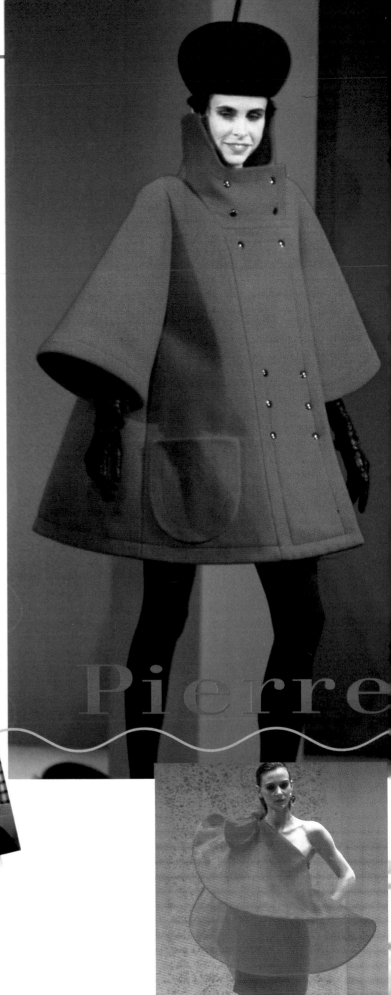

Myata pour collection Pierre Cardin automne-hiver 90/91

Pierre

Pierre Cardin est né en Italie, en 1922. Ses parents étant français, c'est en France qu'il grandit. Après la seconde guerre mondiale, il étudie l'architecture à Paris, mais la mode le fascine. Il débute sa carrière comme assistant dessinateur de Paquin, en travaillant sur les costumes du film de Cocteau : La belle et la bête. Il parfait ses connaissances en travaillant de près avec Schiaparelli et Balenciaga. En 1950, il ouvre sa propre maison de couture et en 1953, il présente sa première collection de haute couture.

Le nom Cardin est synonyme d'avant-garde. Pierre Cardin dessine aussi des vêtements pour hommes et crée la mode unisexe. Il est surnommé le designer de l'âge spatial.

Pierre Cardin est un chercheur. Il trouve de nouvelles solutions, innove et prend des risques. Ses créations, qui ne sont pas toujours pratiques, stimulent et influencent.

Au fil des ans, il prête son nom à diverses industries : l'automobile, les meubles, les valises et les perruques. Plusieurs de ses créations sont fabriquées sous licence en Amérique.

En 1971, il ouvre son propre théâtre : L'espace Pierre Cardin. Ses intérêts sont diversifiés. Homme d'affaire averti, le travail ne l'effraie pas et tout ce qu'il entreprend est un succès.

CARDIN

Miyata pour collection Pierre Cardin automne-hiver 90/91

Sergio Altieri pour collection Pierre Cardin automne-hiver 90/91

'est dans les années 1920 que Coco devient Mademoiselle. Personnage fabuleux à la fois secret et spectaculaire, cette jeune provinciale fait la conquête du tout Paris. Son profond sens artistique lié à son flair infaillible en font une des reines de son époque et la plus grande du monde de la mode du XXe siècle.

Coco Chanel ose, innove et impose son style. En 1916, elle soulage les femmes du corset, les habille en souplesse de jersey et de crêpe, et raccourcit la jupe. En 1918, elle leur fait découvrir le cardigan et, peu de temps après, impose les cheveux courts et les pantalons. En 1924, elle les habille de noir; en 1928, elle crée le tailleur en tweed suivi du blazer à boutons dorés, des bijoux de fantaisie, du sac à bandoulière, etc.

Le style Chanel peut se traduire par la simplicité, mais aussi et surtout par le luxe et par le raffinement dans les moindres détails.

Coco Chanel est la première à créer un parfum, le Chanel no 5, qui, encore de nos jours, demeure un grand classique.

Au début de la deuxième guerre mondiale, Chanel ferme sa maison de couture pour ne la réouvrir que 15 ans plus tard, soit le 5 février 1954. Elle revient en force à 71 ans, avec ses fameux tailleurs en tweed gansé, sa petite robe noire de pensionnaire, ses boutons dorés, ses sautoirs, ses chaînes et ses sacs matelassés. Une fois de plus, elle affirme la personnalité de son style. Elle s'éteint le 10 janvier 1971, à l'âge de 88 ans.

CHANEL

CHANEL

Chloé est une maison de prêt-à-porter française fondée en 1952 par deux personnalités de la mode et des finances : Jacques Lenoir et Gaby Aghion.

Chloé a su imposer, sur le marché international, un style et un état d'esprit révolutionnaires. On est intransigeant sur la qualité des tissus, sur la perfection de la coupe, bref, sur les moindres détails, quels qu'ils soient.

La maison Chloé a été une des premières à utiliser des fibres nouvelles et à remettre en vogue les matières nobles que l'on avait cessé d'utiliser. Des stylistes aujourd'hui célèbres y ont fait leurs débuts : Paco Rabanne, Gérard Pipart, Karl Lagerfeld et Guy Paulin.

Les collections Chloé, dont Martine Sitbon assure la création, rendent hommage à la femme de demain, femme forte et séduisante, aux multiples facettes.

Le parfum Chloé, créé en 1974, s'inscrit parmi les vingt parfums les plus vendus au monde. La griffe Chloé, symbole de l'image parisienne, se retrouve dans les principales villes des États-Unis, d'Europe et d'Asie.

CHLOÉ

Chloé

André Courrèges apprend le métier de couturier auprès de Balenciaga, un homme qu'il admire et respecte au plus haut point. En 1965, après avoir ouvert sa propre maison de couture, la « Collection haute couture de Courrèges » remporte un énorme succès. André Courrèges crée pour une nouvelle femme. Il invente la mini-jupe, le pantalon du soir, les combinaisons habillées, le collant « deuxième peau ».

D'après André Courrèges, le vêtement est une façon de traduire le mariage de l'être et de son personnage, une évolution psychologique et sociologique. De plus, il a de très grandes répercussions sur le psychisme de l'individu. Il lui impose un style de vie et une manière de penser.

Afin de rendre sa mode plus accessible, il crée une ligne de vêtements respectant les critères de qualité de la haute couture, mais dont la fabrication en série permet aux boutiques de l'offrir à des prix abordables. Courrèges crée également plusieurs parfums dont Empreinte, Eau de Courrèges, Courrèges in Blue.

En 1973, le grand couturier se lance dans la fabrication de vêtements pour hommes et crée des accessoires de mode aussi bien pour hommes que pour femmes.

André Courrèges, celui qui a fait passer la femme de la crinoline à la mini-jupe, continue d'innover en pensant à la mode du futur. Une mode gaie en couleurs, jeune en forme, pratique d'emploi et d'entretien, dynamique d'esprit, en un mot : une mode libérée.

COURRÈGES

KIM KNOTT POUR CHRISTIAN DIOR BOUTIQUE collection printemps-été 1989

KIM KNOTT POUR CHRISTIAN DIOR BOUTIQUE
collection printemps-été 1990

Christian

KIM KNOTT POUR CHRISTIAN DIOR BOUTIQUE collection printemps-été 1990

hristian Dior est un homme discipliné, créateur, passionné de ode, qui se sent à l'aise ns le monde des arts. rmi ses amis, on retrouve s peintres, des musiciens des écrivains. Il ouvre même une galerie d'art avec cques Bonjean.

e décès de sa mère, de qui tient son raffinement et n sens de l'élégance et à i il est très attaché, le uche beaucoup. À la même époque, l'époque du rash, il subit des pertes atérielles et souffre de uberculose. Heureusement our lui, cette période est e courte durée !

orsqu'il décide d'entre-rendre des études de essin de mode, ses amis, ui ont eu l'occasion d'admi-er ses créations lors de bals ostumés, l'encouragent

fortement à poursuivre dans cette voie. En 1938, Christian Dior travaille en tant que modiste. Il dessine notamment pour le Figaro. Marcel Boussac découvre son génie créatif et lui accorde son appui financier, ce qui lui permet d'ouvrir sa première maison de couture à Paris, le 12 février 1947, dans un décor Louis XVI gris et blanc.

Du jour au lendemain, Christian Dior change entièrement la silhouette féminine avec sa collection « New Look », et il devient une célébrité internationale. Il réussit à saisir ce dont les femmes ont besoin après les années dramatiques qu'elles viennent de passer.

Pour le couturier, chaque saison doit apporter un

changement de lignes. Il crée la ligne H, la ligne corolle, la ligne 8, la ligne A, la ligne Y... Toutes mettent en valeur la féminité, avec un petit quelque chose de spectaculaire. En 1956, Christian Dior a déjà créé dix neuf collections qui portent sa griffe.

« L'air de Paris est vraiment celui de la couture », proclame-t-il. Et il rend un hommage constant à cette ville en baptisant ses robes Maxim's, Tour Eiffel, Coupole, Muguet.

Il s'éteint en pleine gloire, le 24 octobre 1957, à Montecatini. Non seulement il nous reste sa mode, mais aussi des par-fums prestigieux comme Diorissimo et Miss Dior.

Kim Knott pour Christian Dior Boutique collection printemps-été 1990

Dominique Issermann

CD

Christian Dior

Alain Le Kim, collection Haute Couture automne-hiver 90/91

Louis

Christian Rivière, collection Haute Couture automne-hiver 89/90

ouis Féraud peintre de talent, ouvre à Cannes, dans les années 1950, une boutique de mode dans le vent. Il perce vite le marché de cette station balnéaire huppée. La gloire commence à peine à lui sourire qu'il se rend compte qu'il veut faire plus. Alliant les talents de peintre et de créateur, il bouscule les tendances établies. Ses pinceaux deviennent tout aussi importants que ses ciseaux, et c'est le succès!

Plus tard, il ouvre sa maison de haute couture à Paris et s'entoure de dessinateurs talentueux tels que Jean-Louis Scherrer et Per Spook, qui créent, pour lui, des modèles structurés. Féraud habille alors le tout Paris. Il rejoint le monde de la haute couture auprès de Christian Dior, Balenciaga, Lanvin, Castillo, Givenchy.

À l'époque des Beatles, on s'arrache les vêtements qui portent sa griffe. Sa clientèle lui reste fidèle, et c'est avec complicité qu'il habille cette nouvelle femme qui décide sa vie tout en restant consciente de son charme.

Louis Féraud crée le flou très habillé. Il veut la femme en robe le matin, en tailleur l'après-midi, en ensemble le soir et en robe somptueuse le soir de grande sortie. Il aime les femmes. Pour elles, il aime écrire, dessiner et créer.

Christian Rivière, collection Haute Couture automne-hiver 90/91

FÉRAUD

Christian Rivière, collection Haute Couture été 89

Yann Romain, collection Haute Couture automne-hiver 90/91

Christian Rivière, collection Haute Couture automne-hiver 90/91

Louis Féraud

BENITO POZO

Hubert Taffin de Givenchy, né en France en 1927, est le dernier des aristocrates de la couture. Grand, de belle apparence, perfectionniste à la démarche altière et aux gestes nobles, il sait se faire respecter du tout Paris.

Sa carrière dans la mode débute en 1945, avec Lelong. Il travaille ensuite chez Piquet, Fath, Schiaparelli avant d'ouvrir sa propre maison de couture en 1952, sous les conseils de son ami Balenciaga.

Givenchy présente des vêtements élégants, raffinés et de confection impeccable.

La perfection de sa coupe demeure, au fil des ans, la clé de son succès. Son prêt-à-porter se vend dans le monde entier.

De la robe amincissante en fin lainage portée par Audrey Hepburn au tailleur classique de Jacqueline Kennedy, Givenchy a gardé, au fil des ans, son haut standard de qualité.

Son empire, en plus de la haute couture et du prêt-à-porter, comporte des parfums, des vêtements sports et des meubles. En 1982, le Fashion Institute of Technology de New York organise une cérémonie en son honneur, pour célébrer ses trente ans de dévouement à son art.

BENISTY POZZO

BENISTY POZZO

GIVENCHY

GIVENCHY

Claus Ohm

Peter Lindbergh

Kenzo, appelé « le petit prince du soleil levant », apporte à la mode française un mélange subtil de structuré et de déstructuré. Il passe facilement d'un extrême à l'autre; d'une veste très ample à une veste très courte. Ses proportions sont la marque des années 1980, celles que l'on retrouve aujourd'hui dans la rue.

Très jeune, Kenzo est déjà fasciné par des modèles qu'il découvre dans des revues de mode; il cherche même à les imiter.

Pour satisfaire le souhait de ses parents, il s'inscrit en littérature anglaise à l'université de Kobe Gaigo. Ces derniers lui avaient refusé les cours à l'école de couture où sa sœur était déjà inscrite. Après un premier trimestre, il décide de partir à Tokyo. Cette période de sa vie est pénible, car il n'a pas encore trouvé sa voie. On le persuade alors d'aller à Paris, la capitale de la mode.

Après avoir assisté à la présentation des collections Cardin, Dior, Chanel, il estime que ce qu'il voit est tellement parfait qu'il hésite à poursuivre dans cette voie.

En 1970, à l'âge de 30 ans, il décide de proposer ses dessins aux journaux de mode, et annonce que la présentation de sa première collection se tiendra le 14 avril de cette même année. Il y présente des vêtements en cotonnades japonaises achetées au marché Saint-Pierre. Dès le lendemain de cette présentation, la boutique Jungle Jap (nommée ainsi à cause de son décor) ouvre ses portes.

Au début des années 1990, l'univers Kenzo fait fureur. C'est Kenzo Paris, Kenzo Jeans, Kenzo Jungle, Kenzo City. On retrouve aussi des collections pour enfants, des accessoires, du linge de maison et même un parfum Kenzo.

KENZO

Claus Ohm   *Claus Ohm*

KENZO
P A R I S

Christian

JEAN-FRANÇOIS CATÉ, HAUTE COUTURE, AUTOMNE-HIVER 90/91

hristian Lacroix, le plus jeune dans le monde de la couture, souhaite amener cette dernière à sa fonction première : extravagance, modernité, séduction.

En 1978, il fait son entrée au bureau de style de chez Hermès et, en 1980, il devient l'assistant de Guy Paulin. En 1981, il est nommé directeur artistique chez Jean Patou.

Christian Lacroix obtient le Dé d'Or en 1986, et l'oscar du meilleur créateur étranger à New York en janvier 1987.

Ce créateur qui ose dépouiller les femmes de leurs vêtements pratiques, classiques, bon genre, l'emporte, avec sa collection printemps/été 1988, son deuxième Dé d'Or. C'est dans un décor luxueux de la rue du Faubourg Saint-Honoré qu'il crée cette mode théâtrale qui lui a valu, malgré quelques critiques, la reconnaissance de son talent.

Par goût, Christian Lacroix jongle avec les couleurs et les matières. Pour lui, la haute couture est la conservation d'un rêve. Chaque année, il présente deux collections de haute couture et deux collections de prêt-à-porter de luxe. Depuis 1989, il a créé sept collections d'accessoires. Ses collections sont diffusées à travers le monde entier, dans 140 points de vente.

Arlésien de naissance, Christian Lacroix retourne à ses racines à travers sa mode somptueuse. Il ramène passementeries, broderies, brocarts et velours dans ses créations ensoleillées.

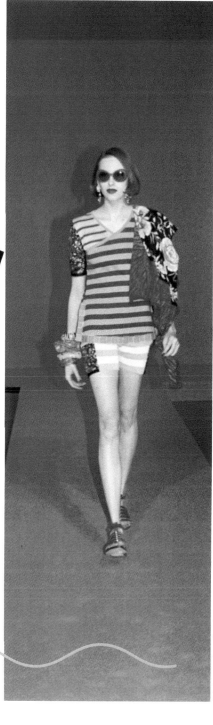

Prêt-à-porter, Luxe, Été 91

Prêt-à-porter, Luxe, Été 91

LACROIX

Prêt-à-porter, Luxe, Été 91

Prêt-à-porter, Luxe, Été 91

Christian Lacroix.

ondi présente en 1968, sa première collection composée de six pièces de tricot. L'accueil est si enthousiaste que les employés doivent travailler d'arrache-pied pour répondre à la demande de la clientèle.

Zahm, créateur de la mode MONDI, saisit rapidement la signification des tendances et s'ingénie à les traduire en coordonnés pratiques répondant aux exigences et aux préoccupations de la femme active moderne. La compagnie se présente sous différentes étiquettes : Mondi, Portara, Braun, Chris, Patrizia.

En 1975, Mondi fait son apparition au Canada et aux États-Unis. Le leitmotiv qui se dégage de l'équipe de designers qui crée les quatre collections annuelles de la mode Mondi est « dynamisme et variété ».

En 1991, le groupe Mondi est honoré par le Conseil de mode de Munich pour l'ensemble de ses créations. Depuis plus de 20 ans, les créations Mondi s'identifient à la chaleur, à la romance et à un style de vie confortable et décontracté.

MONDI

mondi

Lanvin, Haute-Couture automne-hiver 90/91 par Claude Montana   Lanvin, Haute-Couture automne-hiver 90/91 par Claude Mont

Claude

Lanvin, Haute-Couture automne-hiver 90/91 par Claude Montana

Claude Montana est né à Paris, en 1948. À la fin de ses études secondaires, il s'installe à Londres où il obtient un certain succès avec sa création de bijoux en papier et de pierres de couleur.

Il rentre à Paris en 1971. Il travaille pour Mac Douglas et le cuir devient alors sa source d'inspiration principale.

En 1976, Claude Montana peut enfin produire sa propre collection, grâce à l'appui de l'industriel Jean Ferrer. En 1979, il crée la société Claude Montana S.A. qui présente des collections hommes, des parfums et une ligne de bain pour femmes.

Depuis 1990, Claude Montana dessine les collections de Lanvin.

MONTANA

Montana

Jean Baptiste Mondino

Hanae

Richard Avedon

Hanae Mori possède deux particularités exceptionnelles dans l'univers de la mode parisienne : elle est femme et japonaise.

En 1961, Hanae Mori rencontre Coco Chanel à Paris. Cette rencontre est déterminante pour la jeune femme. Elle décide de faire de la haute couture à l'échelle internationale. Elle veut devenir parisienne. Son inspiration lui vient des femmes de la rue.

En 1977, elle installe ses bureaux à Paris, y ouvre une boutique et devient membre de la Chambre syndicale de la haute couture parisienne. Les femmes n'y sont pas nombreuses et les japonaises, encore moins. Son ambition : devenir une sorte de lien culturel entre le Japon et l'Occident.

Hanae Mori pense la mode comme un art vivant, une création toujours moderne autour du corps en se basant sur le meilleur des grands mouvements artistiques de son pays, tout particulièrement la période Edo et le théâtre Kabuki.

Au Japon, elle a créé des costumes pour les plus grands réalisateurs comme Ozu et Oshima. Cette expérience avec le monde cinématographique lui apporte beaucoup plus que la célébrité. Elle lui permet d'élargir son univers et, du même coup, de découvrir que les femmes sont toutes différentes. « J'ai su comment les hommes regardent les femmes, comment ils les aiment ! » affirme-t-elle.

Hanae Mori, cette pionnière, a décidé de prendre son destin en main. Elle est l'une des premières femmes d'affaires japonaises à avoir construit un véritable empire industriel et commercial qui s'étend dans le monde entier.

Michael O'Connor, Haute Couture automne-hiver 90/91

Michael O'Connor, Haute Couture automne-hiver 90/91

MORI

HANAE MORI

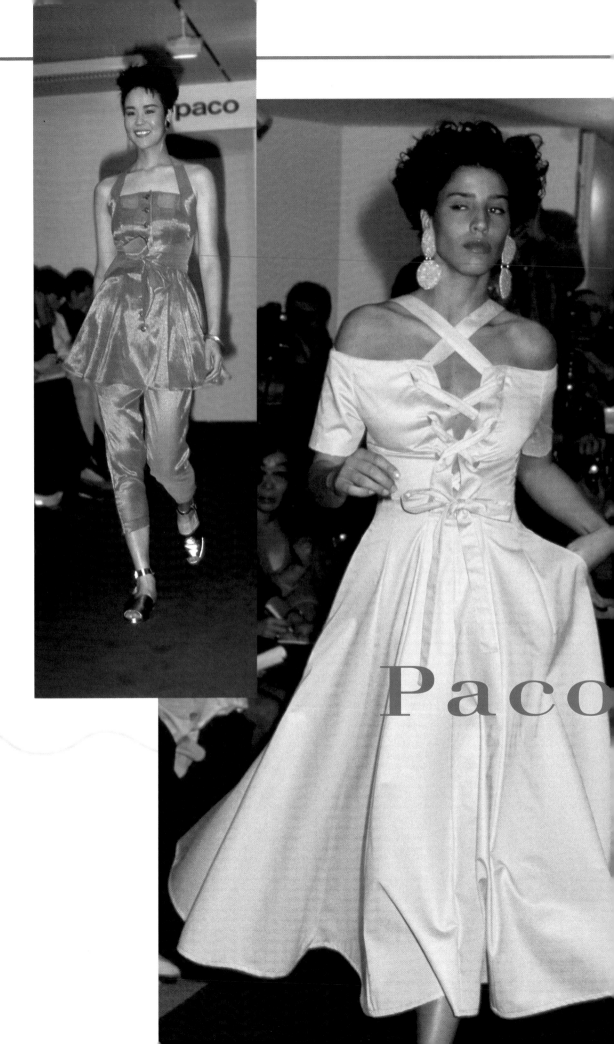

paco

Paco

Paco Rabanne est natif du Pays-Basque. Après avoir fait des études en architecture à l'École nationale des beaux-arts, il crée en 1962 des accessoires géants en plastique, des bijoux et des broderies. Ses premières créations sont des costumes de théâtre, de ballet et de cinéma, notamment ceux des films Barbarella, Les aventuriers, Le pacha.

Paco Rabanne atteint une notoriété instantanée lors de la présentation de ses premières créations de robes en plastique, en métal, en aluminium et d'un vêtement moulé qui a été vu partout dans le monde. Ses fourrures tricotées connaissent aussi beaucoup de succès.

En 1969, Paco Rabanne reçoit le prix de la Beauty Industry pour son parfum Calandre. Que ce soit la haute couture, le prêt-à-porter pour hommes et pour femmes, les lignes de soins, la bonneterie, les cigarettes, rien ne lui échappe.

RABANNE

PACO RABANNE
ETE 1991

1958

Photos d'époque
de la famille Ricci

1945

1935

Nina Ricci

Nina

ina Ricci est une créatrice italienne et une modiste de grand talent. En 1932, en dépit de la situation noire des années 1930, elle ouvre sa propre maison de haute couture. Laissant libre cours à sa créativité, elle crée une mode spontanée pour la femme. Elle l'habille pour elle-même et privilégie toujours l'harmonie, la qualité et le raffinement.

À la veille de la guerre, Nina Ricci devient une des maisons parisiennes les plus en vogue. Elle sait à merveille mettre en valeur la personnalité de ses clientes. Elle drape directement les tissus sur des mannequins vivants, et apparente son art à la sculpture.

Madame Ricci est élevée au rang de Chevalier de la Légion d'honneur pour ses services exceptionnels rendus à la cause de l'élégance française. Elle s'éteint à Paris, le 30 novembre 1970, à l'âge de 87 ans.

Son fils, Robert Ricci, prend la relève. La parfumerie lui permet de donner une dimension internationale à Nina Ricci. Il lance le parfum Cœur-Joie en 1946, et en 1948, L'Air du temps, un classique des parfums français.

En l'espace d'un demi-siècle, Nina Ricci est devenu l'un des plus prestigieux groupes de l'industrie du luxe français.

Nina Ricci Boutique

RICCI

V. Sichov, Nina Ricci Haute-Couture

NINA RICCI

Nina Ricci Bébé

C. FERRARI

Sonia

onia Rykiel, femme aux talents multiples, créatrice de mode, auteure, conférencière, a réussi à contribuer à l'épanouissement de la mode internationale. On la retrouve plus d'une fois sur la liste des femmes les mieux habillées du monde.

En 1962, Sonia Rykiel crée une collection de vêtements en tricot qui connaît un succès immédiat autant en Europe qu'aux États-Unis. En 1974, elle invente les vêtements à l'envers. Aujourd'hui, beaucoup imitent, sans oublier sa formule de « mots messages » inscrits sur les pulls, les T-shirts et les accessoires.

De la mode masculine et féminine à la mode pour enfants, de la maroquinerie à la décoration d'hôtel, de la papeterie aux coffrets de chocolats, du linge de maison aux assiettes, Sonia Rykiel passe de succès en succès et impose un certain art de vivre. Elle va jusqu'à créer l'intérieur d'une voiture dont le lancement se fait au Japon en 1985.

En plus d'être une seconde peau tout aussi sensible et individuelle que la première, le vêtement, selon Sonia Rykiel, est aussi un langage.

Sonia Rykiel est une femme qui se souvient, qui invente et qui rêve. Son travail de création, lié à l'histoire de la femme qui évolue, reste près des mouvements, du rythme et du temps.

G. FERRARI

RYKIEL

G. FERRARI

G. FERRARI

SONIA RYKIEL

Jean-Louis Scherrer, Haute Couture
automne-hiver 1990/1991

Jean-Louis

Nouveaux salons Haute Couture, nouvelle boutique, Jean-Louis Scherrer

Jean-Louis Scherrer, conservateur de l'image de luxe reliée à la haute couture, est un symbole de prestige. Très jeune, il rencontre Christian Dior et découvre tout le côté prestigieux de la haute couture française. À la même époque, il rencontre également Yves Saint-Laurent. Bien vite, technique et création n'ont plus de secret pour lui. De sa maison de couture du Faubourg Saint-Honoré ou de celle de l'Avenue Montaigne, Jean-Louis Scherrer habille une clientèle de choix : Michèle Morgan, Marie Laforêt, Françoise Sagan, la famille Kennedy, Jackie Onassis, Raquel Welch, Sophia Loren, Isabelle Adjani.

Intéressé aussi par le prêt-à-porter de qualité, Jean-Louis Scherrer distribue ses produits à travers le monde entier, dans plus de 200 points de vente. Il a su s'implanter sur le marché international, tout en respectant l'artisanat français qui est la source de son image de marque. Il lui importe donc de garder intacte la tradition de la haute couture, celle qu'il a toujours connue et respectée.

Nouveaux salons Haute Couture, nouvelle boutique

Jean-Louis Scherrer, Prêt à porter printemps-été 1991

SCHERRER

JEAN-LOUIS SCHERRER

Arthur Elgort pour Rive Gauche

Rive Gauche

Rive Gauche

Alice Springs

Y_{ves}

Rive Gauche

1
2
3
4
5
6
7
8
9

Yves Saint-Laurent est né à Oran, en Algérie, en 1936. Il est reconnu comme étant le génie de la mode de son époque, soit de la deuxième partie du XXe siècle.

Maître de la couleur et des formes, Yves Saint-Laurent conquiert rapidement le cœur des femmes. Bien qu'influencé par Chanel, Balenciaga et Dior, ses maîtres à penser demeurent Proust, Les Ballets Russes, Picasso et l'art chinois. Il aime les reproduire dans ses tissus et dans ses lignes.

En 1955, il se joint à la prestigieuse maison Dior. Il a à peine 21 ans quand il prend la relève de Christian Dior, lorsque ce dernier décède en 1955. Sa première collection chez Dior connait un énorme succès, mais il est appelé à la guerre d'Algérie et doit remettre les armes à Marc Bahan.

Après un court séjour en Algérie, il s'installe définitivement en France. Il connaît rapidement la gloire et sa réputation dépasse les frontières.

Ses boutiques Rive Gauche sont populaires, de même que ses parfums : Rive Gauche, Opium, Y et Paris qui comptent parmi les parfums les mieux vendus au monde.

Rive Gauche

Arthur Elgort pour Rive Gauche

SAINT-LAURENT

Photos défilé : Guy Yves Marineau pour Rive Gauche

Yves Saint Laurent

Christian Rivière

Christian Rivière

Emanuel

emanuel ungaro

1
2
3
4
5
6
7
8
9

manuel Ungaro est né en France en 1933, à Aix-en-Provence, de parents italiens. Il apprend la coupe et la couture avec son père qui est tailleur pour hommes.

À l'âge de 22 ans, il s'installe à Paris en tant que tailleur. Il rêve de se joindre à une maison de haute couture. Ce rêve se réalise en 1958 lorsque Courrèges, à l'emploi de Balenciaga, qui ouvre les portes de la maison. Ungaro, qui applique le dicton de son employeur : « Nous sommes des artistes, non des philosophes », prendra la relève de Courrèges en tant que premier dessinateur.

En 1965, il ouvre sa propre maison et travaille en étroite collaboration avec Sonia Knapp qui crée ses tissus. Il s'impose très vite dans le milieu de la mode. Sa façon audacieuse de marier couleurs, imprimés et textures plaît aux gens. Il passe des lignes et des coupes structurées aux formes plus douces et plus féminines.

Ungaro doit sa réussite à sa recherche constante et à sa passion de la mode.

CHRISTIAN RIVIÈRE

UNGARO

CHRISTIAN RIVIÈRE

ungaro
paris

DOSSIER PERSONNEL

Je suis :
☐ dramatique ☐ sportive ☐ classique ☐ romantique

☐ extravertie ☐ introvertie

☐ yin ☐ yang

☐ visuelle ☐ auditive

☐ jaune ☐ rouge ☐ verte ☐ bleue

La couleur de ma peau contient : _____ Sa complémentaire est :_____

La couleur de mes yeux contient :_____ Sa complémentaire est :_____

La couleur de mes cheveux contient : _____ Sa complémentaire est :_____

Je choisis la palette de couleurs_____

J'ai : un visage de forme _____

le front _____

les yeux _____

les arcades sourcilières _____

les sourcils _____

les paupières _____

le nez _____

la bouche _____

les lèvres _____

le menton _____

Les parties que j'aimerais rehausser avec des teintes claires sont : _____

_____

Les parties que j'aimerais atténuer à l'aide de teintes foncées sont : _____

_____

Les produits de beauté qu'il me faut sont : _____

_____

Mes mensurations sont _____

Je suis de taille _____ J'ai un corps de forme _____

un port de tête _____ le cou _____

les épaules _____ les bras _____

la poitrine _____ l'abdomen _____

la taille _____ les hanches _____

les fesses _____ les cuisses _____

les jambes _____ les genoux _____ les pieds _____

Mes points attrayants sont : _____

_____

Mes points à améliorer sont : _____

_____

Les vêtements qui me conviennent le mieux sont : _____

_____

_____

Encolures : _____

_____

Manches : _____

_____

Vestes :_____

_____

Jupes : _____

_____

Pantalons : _____

_____

Robes :_____

_____

Manteaux : _____

TABLE DES MATIÈRES

BIBLIOGRAPHIE

Adriaenssen, Agnes, **Encyclopédie de la mode**, Éditions Nathan, Éditions Lannoo, Tielt, 1989

Beresniak, Daniel, **ABC des couleurs**, Éditeur Jacques Grancher, 1987

Blin, Clément, **La connaissance de soi et des autres**, Éditions Québec/Amérique, 1980

Hunsaker, Phillip L., Alessandra Anthony J., **The Art of Managing People**, First Touchstone Edition, publié par Simon and Schuster, Inc., 1980

Kibbe's, David, **Metamorphosis**, Macmillan Publishing Company, 1987

Pooser, Doris, **Always in Style with Color me Beautiful**, Acropolis Books Ltd., 1985

Lewis Jewell, Diana, **Making Up** by Rex, Clarkson N. Potter, Inc. Publishers, 1986

Quant, Mary, Green Felicity, **Jouez les couleurs**, Octopus Books et Compagnie internationale du livre (CIL), 1984

Turgeon, Madeleine, n.d., **La réflexologie du cerveau pour auditifs et visuels**, Éditions de Mortagne, 1980

ERRATUM

Veuillez prendre note qu'à l'annexe « Les harmonies des couleurs-saisons », une inversion entre les palettes de couleurs du printemps et de l'automne s'est produite.

Il faudrait donc lire, aux harmonies chaudes : PRINTEMPS pour ce qui est intitulé AUTOMNE et AUTOMNE pour ce qui est intitulé PRINTEMPS.

gabriellejulieouinonoréo i

; ;

oui

non

g aBY

KJUYHTTASSçççççççççççççPJXXBCXGZZ   XJKX KXZZJKZJKJ

BHGTRES URBBBBNN HIIIL??MMM JJJJKUHYGTFRCOKI   IIKNHGREWSDV

LHHHYFGGGGFFDFFFCVCVBVBGHYYHHHGHGHFFGFGFGFGCGCCGC GCGGGFGFNON

NOM   Julie Tasse

UHGY VFCD REWTYY   BNJUU1234567890101112131415617181 91

5
%%5 8

zzqwerty   hkkkkkiiii

jjdhjyjdgfhghfgdhhn n-s -----d--_------------------

qqwwee 8 rrt−¼ 4 tyyuuiiooppaassddffgghhjjkkll

zzxxccvvbbnnmm,,..éé21234567890   +"$+

1=47 4   ------

+

448 4

New Providence Corporation

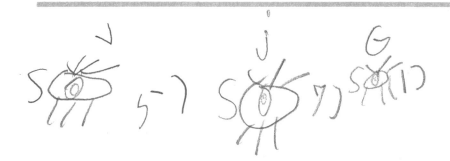